J'accuse !

Émile Zola

J'accuse !

et autres textes sur l'affaire Dreyfus
présentés par Philippe Oriol

Librio

Texte intégral

AVANT-PROPOS

Le 5 janvier 1895, à l'École militaire, devant la troupe en grand uniforme et les badauds agglutinés derrière les grilles pour hurler leur haine, le capitaine Alfred Dreyfus, jeune stagiaire à l'état-major, était solennellement exclu de l'armée. Ses galons arrachés, son sabre brisé, il allait expier son crime, loin de la France, au milieu des mers, sur un bout de rocher au nom évocateur : l'île du Diable. Son crime ? Dreyfus aurait livré des documents à l'Allemagne. Une pièce, une lettre-missive qu'on appellera bientôt « le bordereau », dérobée à l'ambassade, et dans laquelle trois experts sur les cinq consultés avaient cru reconnaître son écriture, en constituait l'unique preuve. Une bien maigre preuve en vérité à laquelle l'accusation avait ajouté quelques ragots ramassés dans les bars qui devaient permettre aux juges de se faire une conviction. Pour faire bonne mesure, avant le procès, le ministre de la Guerre, le général Mercier, avait confié aux journalistes sa certitude de la culpabilité de l'accusé, montrant ainsi la voie à suivre aux juges militaires qui ne pourraient qu'entériner le verdict de leur chef. De plus, on l'apprendra plus tard, un dossier secret, dont la pièce la plus importante était une lettre ayant trait à un espion désigné par la seule initiale D – un nommé Dubois, découvrira-t-on par la suite –, avait été communiqué en toute illégalité au moment des délibérations à l'insu du prévenu et de son défenseur. Si on ignorait tout à ce moment de la transmission illégale, on avait pu lire les déclarations de Mercier, autre entorse au droit, mais on s'en souciait peu, à de rares exceptions. Dreyfus avait été jugé et bien jugé par ses pairs et ce pour le plus abominable des crimes commis au profit d'un ennemi à qui on promettait une défaite tout aussi humiliante que celle qu'il avait infligée à la France en 1870. Jugé et bien jugé, donc, et tout était pour le mieux. Il faisait un traître très convenable. Pour beaucoup de militaires, il représentait sans doute cette armée républicaine et en voie de modernisation dont les officiers avaient gagné leurs galons à l'école quand d'autres, leurs aînés, les avaient eus au feu, mais il était surtout, avant tout, un juif dont la présence sous l'uniforme était insupportable à une vieille garde réactionnaire et cléricale. Car dans l'armée, comme en dehors, le vieux préjugé était là tenace, qui se déchaînait sur le moderne Judas dont la République, un siècle plus tôt, avait fait un citoyen. *La Libre Parole*, le journal antisémite d'Édouard Drumont, pouvait triompher, qui depuis 1892 dénonçait la présence des juifs dans l'armée. L'affaire récente venait confirmer le bien-fondé de sa campagne. Coupable, Dreyfus l'était pour tous – militaires ou civils, antisémites ou non, monarchistes ou républicains, conservateurs ou révolutionnaires, bourgeois ou ouvriers – et indiscutablement. On en venait même à regretter un châtiment si doux.

L'affaire avait été rondement menée pour la satisfaction générale et on aurait dû ne plus jamais entendre parler du « traître » si, détail d'importance dont l'accusation ne s'était guère embarrassée, il n'avait été innocent. Pour réparer l'erreur, « le plus grand crime du siècle », comme Dreyfus l'avait lui-même dit le jour de l'horrible parade de dégradation, son épouse, Lucie, et son frère aîné, Mathieu, entreprirent tout ce qu'il était possible de faire pour le sauver et faire éclater son innocence. Toutes les tentatives demeurèrent vaines : les portes se fermaient, les pistes débouchaient toutes sur des impasses. Il leur faudra attendre deux ans, à la fin du mois d'octobre 1896, pour qu'un jeune publiciste, Bernard Lazare, très tôt convaincu par Mathieu, pût faire paraître une brochure pour dire l'*erreur judiciaire*, *La Vérité sur l'affaire Dreyfus*[1]. Cette première tentative, qui révélait le vide de l'accusation contre le capitaine et la transmission illégale, ne passa pas inaperçue mais ne fit guère de prosélytes. De quel droit une famille, un ami, juif aussi – les critiques ne voulurent souvent retenir que cela –, se permettaient-ils de discuter la chose jugée et l'honnêteté et l'autorité de cette justice militaire derrière laquelle les bons Français se devaient de faire bloc ?

L'affaire disparut de nouveau de l'actualité mais, autour de

---

1. Il n'est pas possible ici d'entrer dans les détails et de raconter précisément les circonstances dans lesquelles put paraître cette brochure. Nous renvoyons à Jean-Denis Bredin, *L'Affaire* (pp. 160 *sqq.*), aux souvenirs de Mathieu Dreyfus, *L'Affaire telle que je l'ai vécue* (pp. 77-87) et à notre préface à la réédition du second mémoire de Bernard Lazare, *Une erreur judiciaire. L'Affaire Dreyfus* (on trouvera les références bibliographiques précises des ouvrages cités dans la bibliographie donnée en fin de volume).

la famille Dreyfus, commencèrent à se grouper quelques individus convaincus de l'innocence du capitaine : Bernard Lazare, on le sait, le commandant Forzinetti, qui avait gardé Dreyfus avant son procès, Edgar Demange, son avocat, et le député Joseph Reinach. De son côté, indépendamment de la famille Dreyfus, un homme, respecté de tous, grande figure de la République, le vice-président du Sénat, Auguste Scheurer-Kestner, partagea, à partir de l'été 1897, cette même conviction. Ce vieil homme à la vie et à la carrière irréprochables, quatrième personnage de l'État, alsacien comme Dreyfus, avait été gagné à la cause du capitaine par un autre Alsacien, l'avocat Louis Leblois, lui-même informé par son ami le lieutenant-colonel Georges Picquart, chef du service des renseignements, qui avait découvert le vide total du dossier contre Dreyfus et l'identité du véritable coupable, le commandant Charles-Ferdinand Walsin Esterhazy. Pour ne pas perdre le colonel Picquart, Scheurer-Kestner avait promis à Leblois de garder le secret et de ne parler à personne de son informateur. Il avait juste pu, sous les insultes de la presse, laisser courir le bruit et faire part à la famille Dreyfus de sa conviction mais sans jamais pouvoir en dire plus, sans jamais pouvoir dire le nom du véritable traître. Condamné à une action réduite par la promesse qu'il avait faite, impatient de pouvoir dire enfin tout ce qu'il savait, c'est avec un grand soulagement que Scheurer-Kestner se vit libéré, le 11 novembre, par Mathieu Dreyfus, qui, par une autre voie qui était aussi un hasard tout à fait extraordinaire, avait appris le nom d'Esterhazy[2]. Quelques jours plus tard, le 15, d'accord avec Scheurer, Mathieu dénonçait celui à la place duquel son frère avait été condamné. A ce moment, quelques personnalités, entraînées par l'exemple de Scheurer-Kestner ou convaincues par Lazare qui n'avait cessé de multiplier les visites, rejoignirent cette petite minorité qui se battait pour que fût révisé le procès du capitaine : des littérateurs – Pierre Quillard, Pierre Valdagne, Marcel Prévost, etc. –, deux sénateurs – l'ancien ministre Ludovic Trarieux et Arthur Ranc –, quelques savants – Louis Havet, Gabriel Monod, le bibliothécaire de Normale Lucien Herr, etc.

Zola, romancier à grand succès, aussi célèbre et lu qu'il était l'objet des plus sévères critiques et, parfois, d'une véritable

---

2. Il avait été contacté par un courtier, M. de Castro, qui avait reconnu, dans le fac-similé du bordereau sur lequel Dreyfus avait été condamné et que Mathieu avait réalisé en affiches, l'écriture d'un de ses clients.

haine, Zola, ancien président de la Société des gens de lettres, plusieurs fois sollicité, visiblement troublé et intéressé, s'engagea à la fin de novembre. On sait qu'il avait été pressenti très tôt, dès la fin de 1896, quand Bernard Lazare lui avait rendu une première visite, et que Zola avait alors refusé de prendre part au débat. On sait que l'année suivante, au début de novembre, il avait encore refusé de se laisser convaincre. Pourtant, si après la visite que lui avait rendue Lazare, il avait écrit le 6, à son épouse, qu'il préférait s'en tenir à l'écart – « la plaie est trop envenimée[3] » –, il avait envisagé, le 8, convaincu enfin par Leblois de l'« épouvantable erreur judiciaire », la possibilité de se « mettre en avant » s'il devait le faire[4]. Mais comment, de quelle façon, sur quel plan devait-il se placer ? Le 10, nouvelle lettre à son épouse : « Personnellement je n'interviendrai pas, car je n'ai en somme aucune qualité pour le faire[5]. » Écrivain, mobilisé par son œuvre, il estimait n'avoir plus à se mêler de politique et depuis quelque temps refusait de le faire. S'il avait accepté, en 1889, d'engager son nom pour défendre Lucien Descaves, ce n'était que parce qu'il s'agissait de censure, d'un livre condamné et d'un confrère. Il n'avait pas voulu, en revanche, signer une autre pétition qui lui était proposée, quelques années plus tard, en 1894, pour une autre affaire de censure qui avait valu à l'anarchiste Jean Grave, d'être incarcéré :

> Grave n'est pas un écrivain, un des nôtres, c'est un politique, un militant. Que les politiciens se débrouillent. Je ne fais pas de politique, moi ! Le jour où il me plaira d'en faire, j'entrerai dans l'action. Jusque-là, je n'ai rien à voir aux mésaventures politiques des militants[6].

Cette attitude, question de principe, opposée à celle que défendaient avec une belle ardeur ses plus implacables ennemis, les symbolistes, ne tenait plus alors. Il se devait d'être ce nouveau Victor Hugo, dont il citera l'exemple au reporter de *L'Aurore*, Philippe Dubois, le 6 décembre, et duquel il dira qu'il

> n'eût pas laissé s'accomplir l'odieuse besogne sans faire entendre la grande voix de la justice, sans défendre le droit des gens. Il eût trouvé, dans son éloquence, des paroles généreuses qui eussent atteint leur but.

Ces « paroles généreuses qui eussent atteint leur but », il allait les écrire, et c'est peut-être bien sur un procédé rhétorique, pour

---

3. *Correspondance* IX, p. 94.
4. Lettre à son épouse, *Correspondance* IX, p. 96.
5. *Correspondance* IX, p. 97.
6. *Le Figaro*, 8 mars 1894.

parer à l'avance un reproche qu'on ne manquerait pas de lui faire, et, ainsi, pouvoir mieux faire passer ce qu'il avait à dire, qu'il entra en campagne sur le thème de l'« œuvre admirable à faire[7] », qu'il s'engagea, comme il aura soin de le préciser en tête de son premier article, consacré à Scheurer-Kestner, en « professionnel », en « romancier », « surtout séduit, exalté, par un tel drame[8] ». Indéniablement avait-il à l'esprit cette œuvre future[9] mais son entrée dans l'affaire, sa défense de Scheurer-Kestner, était bien plus, pourtant, que cette présentation exagérément modeste. Elle était un acte, déjà, éminemment politique et d'une capitale importance, dans lequel étaient présents tous les thèmes qu'il développera dans les articles suivants. Il dira, dans ce premier article, sa conviction, l'injustice dont on faisait preuve à l'égard du grand Scheurer-Kestner, il y affirmera l'erreur judiciaire, mettra en garde les responsables contre une obstination criminelle qui représentait un réel danger pour la France et la République, dénoncera la presse de sang et le stupide antisémitisme, contre lequel il s'était mobilisé dès 1896[10] et dont il fut, avec Bernard Lazare, Salomon Reinach, Pierre Quillard et l'anarchiste Sébastien Faure, un des plus virulents dénonciateurs et dans lequel il voulait voir, avec eux, un des moteurs de l'Affaire. Mais surtout, il s'engageait là, dans le combat pour la révision, en toute conscience du rôle qu'il avait à y jouer. Dans une interview jusqu'alors inconnue, que nous publions ici pour la première fois, il disait, à son ami Brulat :

Si l'enquête en cours (...) n'aboutit pas à la révision du procès – et je m'y attends – je prendrai la plume, et j'irai jusqu'au bout (...).

Et d'ajouter :

J'ai les preuves matérielles de l'innocence de Dreyfus. Il ne restera pas au bagne. J'en fais mon affaire[11].

---

7. Lettre à son épouse du 16 novembre, *Correspondance* IX, p. 99.
8. *La Vérité en marche*, p. 2.
9. *Cf.* ses « Impressions d'audiences » : « (...) ce que j'avais vu, pour les lettres, dans l'Affaire : une trilogie de types : le condamné innocent, là-bas, avec la tempête dans son crâne ; le coupable libre ici, avec ce qui se passait en lui, tandis qu'un autre expiait son crime ; et le faiseur de vérité Scheurer-Kestner, silencieux et agissant. J'avais débuté par ce dernier dans un article du *Figaro* : et je songeais aux deux autres, avec l'arrière-pensée d'un drame peut-être, d'une œuvre où je dresserai ces trois types ; et peu à peu comment ma pensée a dévié, comment j'ai été entraîné à l'action » (publié en annexe à *Vérité*, p. 670).
10. « Pour les Juifs », *Le Figaro*, 16 mai 1896.
11. *L'Événement*, 1er décembre 1897, ce volume pp. 32 et 34.

A chaque article, il précisera sa pensée, variera les arguments pour bien se faire comprendre, durcira le ton. Puis le 13 janvier, après le scandaleux et prévisible acquittement d'Esterhazy, explosera la bombe publiée dans *L'Aurore*, tirée à trois cent mille exemplaires, qui était un défi que le gouvernement était obligé de relever. « J'accuse !... », chef-d'œuvre de la littérature polémique, « coup » journalistique sans précédent, était aussi un coup de stratège, un véritable coup de force pour obliger un gouvernement à agir et à réagir, à se départir enfin d'une attitude véritablement autiste qu'avait illustrée, après le déchaînement provoqué par le légaliste Scheurer-Kestner, le président du Conseil Méline en une phrase demeurée fameuse : « Il n'y a pas d'affaire Dreyfus. Il n'y a pas en ce moment et il ne peut y avoir d'affaire Dreyfus. » Bernard Lazare et Scheurer avaient défendu un innocent, Zola attaquait les coupables. Qu'importait alors, comme on lui en fit le reproche, qu'il se fût trompé dans « J'accuse !... », épargnant le « criminel en chef » Mercier, oubliant le faussaire Henry, grossissant le rôle de du Paty de Clam. Outre le fait qu'il était impossible, en ce début de 1898, de proposer d'autre thèse avec les informations dont disposaient alors les partisans du capitaine, le but de Zola n'était pas de faire œuvre d'historien[12]. Il voulait provoquer le scandale, et, dans cette optique, il fallait que le trait fût gros, appuyé, sans nuances et fioritures. Méline ne pouvait plus maintenant refuser d'assumer le rôle qui était le sien, se dissimuler derrière d'extravagantes dénégations. Il allait y avoir de nouveau une affaire Dreyfus à travers l'affaire Zola. Le romancier avait cité des noms, exposé les responsabilités et attendait d'être jugé pour cela. Il n'eut guère à attendre. Décidé le 18 janvier lors du Conseil des ministres, le procès de Zola, motivé par une quinzaine de lignes retenues[13] pour éviter qu'il devînt une révision du procès Dreyfus, s'ouvrit le 7 février 1898.

Peu avant « J'accuse !... », l'affaire Dreyfus avait pris de considérables proportions. La presse ne parlait plus que d'elle, des journaux se créaient même pour ou contre la révision. « J'accuse !... » venait renforcer encore ce mouvement et portait véritablement l'Affaire à son paroxysme : les listes de protestations –

---

12. A ce sujet, il faut lire les démonstrations d'Alain Pagès (*Émile Zola, un intellectuel dans l'affaire Dreyfus*, pp. 113-115) et de Nelly Wilson (« Zola et l'affaire Dreyfus », *in Correspondance* IX, pp. 70-73).

13. *Cf.* « Réponse à l'assignation ».

sur la première desquelles figure en tête le nom de Zola – couvertes de milliers de signatures d'intellectuels – professeurs, étudiants, artistes, littérateurs, etc. –, qui circulaient depuis le début du mois, paraissaient, les manifestations de rues se multipliaient et finissaient le plus souvent en batailles rangées, les premières réunions publiques, houleuses, violentes, se tenaient. Aux cris de « Vive Dreyfus ! Vive Zola ! » répondaient ceux de « Vive l'Armée ! Conspuez Zola ! Mort aux Juifs ! ». Ce dernier cri ne fut pas qu'une parole ponctuant des bris de vitres et qui permettait de se garder de passer à l'acte. En province, principalement, les quartiers juifs furent assaillis par une foule déchaînée et menaçante. En Algérie, « on a pillé, saccagé, brûlé, massacré pour la gloire de l'Évangile [14] ». A Boufarik, à Mostaganem, à Blida, à Médéa, à Bab el-Oued, de véritables pogroms eurent lieu avec leur cortège de scènes insoutenables : des magasins furent dévastés et pillés, des lieux de culte et des objets rituels profanés, des femmes furent violées, des gens battus, quelques-uns tués.

« J'accuse !... » faisait sortir l'affaire Dreyfus de son étroit cadre juridique. L'Affaire (avec capitale) naissait, qui dépassait maintenant très largement le cas du capitaine et la révision de son procès pour porter le débat sur l'essentielle question du choix de société. Zola, qui avait agi seul, contre l'État, le gouvernement, l'armée et l'opinion publique, obligeait chacun à prendre position. En posant, pratiquement, par l'exemple, la question de la place de l'intellectuel dans la cité, question débattue depuis quelques années et enfermée dans les limites, étroites et confidentielles, de la seule avant-garde, Zola encourageait les prises de position au grand jour. La jeunesse littéraire se déclarait et, avec elle, derrière ses professeurs, celle des écoles.

Bien sûr, beaucoup, parmi ces savants, chartistes, professeurs au Collège de France, à la Sorbonne, etc., beaucoup, parmi ces lettrés, pouvaient n'apprécier que très moyennement la forme peu scientifique adoptée par Zola, mais pour la première fois un véritable espoir naissait non seulement de sauver Dreyfus et d'établir les responsabilités mais surtout de faire barrage au mensonge, à l'injustice et à l'obscurité, d'affirmer fermement et précisément les principes démocratiques et républicains. Un espoir, et d'autant plus grand que le scandaleux acquittement

---

14. Georges Clemenceau, « Le Recul », *L'Aurore*, 29 janvier 1898.

d'Esterhazy, insolente victoire de l'état-major, fermait toute nouvelle chance de réviser le procès de 1894.

Zola avait senti l'instant venu de frapper un grand coup, d'opposer la violence à la violence. L'atmosphère était obscurcie ; on avait besoin d'air et de lumière, on étouffait. Il brisa les vitres, et le fracas fut tel qu'il couvrit un moment tous les bruits de l'imposture[15].

Le 23 février, après un procès qui avait concentré toutes les attentions, Zola fut condamné à un an de prison et à trois mille francs d'amende, et Perrenx, le gérant de *L'Aurore*, à quatre mois de prison et à trois mille francs d'amende. S'étant pourvu en cassation, Zola eut gain de cause : la plainte déposée par le ministre de la Guerre n'était pas recevable en droit qui aurait dû être le fait du conseil de guerre mis en cause par Zola. Il le fit le 10 avril. Le nouveau procès, le 23 mai à Versailles, ville de garnison, fut repoussé dès le début de la première audience, pour une question de procédure – Labori, son avocat, plaidant l'incompétence du tribunal obtint la suspension –, au 18 juillet. Zola y parut, quelques heures. Labori, plaidant tour à tour l'irrecevabilité de la plainte et le débat sur le fond, conclusions rejetées, quitta la salle avec les inculpés, Zola et Perrenx, qui, par défaut, furent condamnés au maximum prévu par la loi. Convaincu par Labori, Zola décidera alors de quitter la France et se réfugiera en Angleterre où il se cachera sous le nom d'un de ses personnages : M. Pascal.

Après ce départ, qui fut diversement interprété et offrit à la presse nationaliste l'occasion de renouveler le catalogue de ses injures, les événements se précipitèrent. Une pièce accusatrice, qui donnait en toutes lettres le nom de Dreyfus et dont le texte avait été révélé, en dernier argument, par de Pellieux au procès Zola et réutilisé le 7 juillet, à la Chambre, par le ministre de la Guerre Cavaignac – qui l'avait fait afficher dans toutes les communes de France –, fut percée à jour : elle était un faux fabriqué par le lieutenant-colonel Henry, successeur de Picquart à la tête du service des renseignements. Arrêté, incarcéré, Henry fut retrouvé mort dans sa cellule, la gorge tranchée et un rasoir à la main. Avec cette découverte, qui entraîna la chute du ministère, la révision devenait inévitable. Le 3 juin 1899, la Cour de cassation cassait le jugement de 1894 et renvoyait Dreyfus

---

15. Paul Brulat, *Lumières et grandes ombres*, p. 141.

devant un nouveau conseil de guerre. Zola pouvait rentrer en France.

> Depuis onze mois bientôt, j'ai quitté la France. Pendant onze mois, je me suis imposé l'exil le plus total, la retraite la plus ignorée, le silence le plus absolu. J'étais comme le mort volontaire, couché au secret tombeau, dans l'attente de la vérité et de la justice. Et, aujourd'hui, la vérité ayant vaincu, la justice régnant enfin, je renais, je rentre et reprends ma place sur la terre française[16].

Ce nouveau procès, qui se tint à Rennes du 7 août au 9 septembre, ne fut pas la formalité, la confirmation de l'arrêt de la Cour de cassation que beaucoup attendaient. Si Dreyfus n'était plus à l'île du Diable, si Zola était rentré, si le lieutenant-colonel Picquart était libéré après onze mois de prison voulus par le ministre Cavaignac, il restait à donner aux Français l'apaisement qu'ils souhaitaient en châtiant les coupables et en faisant justice des accusations odieuses qui pesaient sur le capitaine et ses deux défenseurs. A Rennes, si la vérité put percer au milieu des faux témoignages, la justice demeura absente. Alfred Dreyfus demeurait un traître et fut condamné à dix ans de détention. Coupable, donc, et coupable avec les circonstances atténuantes ! A l'absurdité près de cette trahison atténuée, ce verdict était prévisible. Zola l'avait écrit, après le procès Esterhazy, dans « J'accuse !... » :

> Comment a-t-on pu espérer qu'un conseil de guerre déferait ce qu'un conseil de guerre avait fait ?

Cet incroyable verdict, complété quelques jours après par la grâce de Dreyfus, devait contenter tout le monde : les partisans du capitaine voyaient leur protégé libre et l'honneur de l'armée était sauf.

Zola et Picquart attendaient toujours d'être jugés. Les procès seront repoussés, chaque fois, jusqu'à décembre 1900 et le vote de la loi d'amnistie qui couvrait les faits antérieurs « se rattachant à l'affaire Dreyfus et qui n'ont pas donné lieu à une décision de justice définitive avant cette promulgation ». Zola et Picquart ne pourraient donc pas faire éclater leur innocence, Dreyfus était libre mais toujours coupable et les faussaires pouvaient vivre tranquilles, qui ne seraient jamais inquiétés. L'apaisement avait été voulu à ce prix.

Zola ne connaîtra pas la fin de l'Affaire. On le retrouvera

---

16. « Justice », *L'Aurore*, 5 juin 1899. *La Vérité en marche*, p. 129.

mort, chez lui, le 29 septembre 1902, asphyxié par une cheminée bouchée. Stupide accident ? Assassinat ? On ne sait. Quelques mois plus tard paraîtra son dernier roman, *Vérité*, dont la parution en feuilleton avait commencé peu avant son décès. Cette très libre transposition de l'Affaire, qui met en scène un instituteur juif, Simon, innocent du crime dont on l'accuse, et qui n'est pas le roman de l'Affaire auquel il avait songé un temps, se termine par une réhabilitation. Dreyfus, comme Simon, sera réhabilité, sept ans après l'incroyable verdict de Rennes, quatre ans après la mort de Zola, en juillet 1906. L'affaire Dreyfus était terminée, rien n'avait pu arrêter la Vérité en marche, la Justice triomphait, et avec elle la République. C'est l'idée qu'il faut retenir même si ce triomphe fut incomplet, qui laissa les crimes impunis et ne fut pas celui du principal intéressé que frappa une dernière injustice : il ne fut pas rétabli dans son grade, perdant cinq ans d'ancienneté, et se retrouva sur les listes d'avancement derrière des officiers entrés dans la carrière bien après lui. Dreyfus, réhabilité, promu seulement commandant, décoré, ne pouvait que quitter une armée qui ne voulait décidément pas de lui. Ces cinq années ne lui furent jamais rendues. Cinq années... pour ainsi dire le temps qu'il avait passé à l'île du Diable.

Le présent volume reprend les textes et les interviews qui marquèrent chaque étape de l'engagement d'Émile Zola jusqu'à son premier procès. De ce procès, conséquence de « J'accuse !... », qu'il n'est guère possible dans les limites de cet ouvrage de présenter, fût-ce à l'aide d'extraits, dans sa totalité, nous donnerons les brèves impressions d'audiences dues à la plume de deux figures de chaque camp : le dreyfusard Pierre Quillard et l'antidreyfusard Maurice Barrès. Enfin, pour qu'il soit bien possible de se rendre compte du véritable déchaînement de haines et de passions que provoqua « J'accuse !... », nous donnerons des extraits d'articles des principaux quotidiens qui permettront de mesurer le formidable impact que suscita l'engagement de Zola, les espoirs qu'il sut faire naître et les haines tout à fait formidables qu'il provoqua [17].

17. Qu'on me permette ici de remercier, pour tout ce que je leur dois, MM. Eric Cahm, Jean-Yves Mollier, Pascal Ory et Alain Pagès.

PROVENANCE DES TEXTES

« M. Scheurer-Kestner. »
Le Figaro, 25 novembre 1897. Repris dans *La Vérité en marche*, pp. 3-10.

Découvrant l'article, Scheurer-Kestner écrira à Zola : « Cher Monsieur, vous pensez bien que la page éloquente et courageuse que vous avez bien voulu consacrer à mon honnête médiocrité, m'a violemment remué ! Quelle magnifique compensation ne m'avez-vous pas réservée ! Il me semble que tout est effacé dorénavant des indignités passées et à venir. / Je ne vous dirai pas banalement que je vous en suis reconnaissant. Votre grand esprit préférera certainement que je vous dise que je puise de nouvelles forces dans votre approbation et dans la magnificence dont vous l'avez entourée. » (Citée *in* Scheurer, *Mémoires d'un sénateur dreyfusard*, p. 204.)

« Le Syndicat. »
Le Figaro, 1er décembre 1897. Repris dans *La Vérité en marche*, pp. 13-23.

Peu de jours avant, Zola avait écrit à son épouse : « Cette affaire Dreyfus me jette dans une colère dont mes mains tremblent. (...) Je désire élargir le débat, en faire une énorme affaire d'humanité et de justice. » (*Correspondance* IX, p. 109.)

« Conversation avec M. Zola. Le Cas de Dreyfus. »
L'Événement, 1er décembre 1897. Interview de Paul Brulat.

« Conversation avec M. Zola. Les « Novosti » – Un livre sur Dreyfus – Récit historique. »
Le Matin, 4 décembre 1897. Repris dans Zola, *L'Affaire Dreyfus. Lettres et entretiens inédits*, pp. 34-36.

« Procès-verbal. »
Le Figaro, 5 décembre 1897. Repris dans *La Vérité en marche*, pp. 27-36.

Cet article est le dernier que Zola publia dans *Le Figaro*. A chaque article de Zola, de nombreux lecteurs firent part de leur mécontentement qui, bien que sans graves conséquences pour le journal (il n'y eut que 58 désabonnements en ce mois de novembre – chiffres donnés dans le numéro du 12 décembre), obligea la direction à mettre fin à la campagne entreprise. Pour ne pas mettre en péril le journal, un des deux directeurs, Fernand de Rodays, s'expliqua dans le numéro du 18 décembre et annonça son retrait « jusqu'à la fin de cette triste affaire ».

« M. Zola et le vote de la Chambre chez M. Émile Zola. »

L'Aurore, 6 décembre 1897. Interview de Philippe Dubois. Repris dans *L'Affaire Dreyfus. Lettres et entretiens inédits*, pp. 36-38.

« Humanité, vérité, justice. L'Affaire Dreyfus. Lettre à la jeunesse. »

Paris, E. Fasquelle, [14 décembre] 1897. Repris dans *La Vérité en marche*, pp. 39-52 ; *L'Affaire Dreyfus. Lettres et entretiens inédits*, pp. 39-44.

Dans *La Vérité en marche*, il présentera ainsi la publication de son texte : « Ne voyant alors aucun journal qui me prendrait mes articles, et désireux en outre d'être absolument libre, je fis le projet de continuer ma campagne, par une série de brochures. D'abord, j'avais l'idée de les lancer à jour fixe, régulièrement, une par semaine. Puis, je préférai rester le maître des dates de publication, de façon à choisir mes heures, à n'intervenir que sur les sujets et seulement les jours où je le croirais utile » (p. 38).

« Humanité, vérité, justice. L'Affaire Dreyfus. Lettre à la France. »

Paris, E. Fasquelle, [7 janvier] 1898. Repris dans *La Vérité en marche*, pp. 55-70 ; *L'Affaire Dreyfus. Lettres et entretiens inédits*, pp. 45-51.

« J'accuse !... Lettre à M. Félix Faure. »

L'Aurore, 13 janvier 1898. Repris dans *Le Siècle*, 14 janvier ; *La Vérité en marche*, pp. 73-93 ; *Correspondance* IX, pp. 134-143 ; *L'Affaire Dreyfus. Lettres et entretiens inédits*, pp. 52-60.

Le célèbre article était à l'origine une brochure que Zola choisit finalement de publier dans un journal pour lui donner un écho plus important. *L'Aurore*, fondé depuis peu et qui avait dans un premier temps refusé de s'engager, faisait à ce moment figure de tribune du dreyfusisme et se devait, plus que tout autre, d'accueillir le texte de Zola.

Notons que « J'accuse !... », manchette du journal qui s'est substituée au titre de Zola (« Lettre à M. Félix Faure »), avait été trouvé par Georges Clemenceau.

« Réponse à l'assignation. Lettre à Monsieur le Ministre de la Guerre. »
L'Aurore, 22 janvier 1898.
Ce texte, corrigé et signé par Zola, est en fait de Georges Clemenceau. Nous le donnons parmi les textes de Zola dans la mesure où l'auteur de *Nana* accepta d'en assumer la responsabilité et parce qu'il est, pour la nouvelle provocation qu'il constitue, important.

« A propos du procès d'aujourd'hui. Interview avec M. Émile Zola. »
Le XIXe Siècle et *Le Rappel*, 8 février 1898. Repris dans *L'Affaire Dreyfus. Lettres et entretiens inédits*, pp. 63-64.

« Autour du procès. Rue de Bruxelles. »
L'Aurore, 8 février 1898. Interview avec R. Racot. Repris dans *L'Affaire Dreyfus. Lettres et entretiens inédits*, pp. 64-65.

« Déclaration au jury. »
L'Aurore et *Le Siècle*, 22 février 1898 ; *Les Droits de l'Homme*, 23 février. Repris dans *Procès Zola* II, pp. 234-243 ; *La Vérité en marche*, pp. 97-110.

« Chez M. Émile Zola. Fleurs et bouquets. – Hommages de sympathie. – M. Zola se repose. – Espoir et courage. »
L'Aurore, 25 février 1898. Interview avec Philippe Dubois. Repris dans *L'Affaire Dreyfus. Lettres et entretiens inédits*, pp. 65-66.

Pierre Quillard. « Impressions d'un témoin. »
La Revue blanche, 1er mars 1898.

Maurice Barrès. « Impressions d'audience. »
Le Figaro, 24 février 1898.

« J'ACCUSE !... »
ET AUTRES TEXTES

M. Scheurer-Kestner

Quel drame poignant, et quels personnages superbes ! Devant ces documents, d'une beauté si tragique, que la vie nous apporte, mon cœur de romancier bondit d'une admiration passionnée. Je ne connais rien d'une psychologie plus haute.

Mon intention n'est pas de parler de l'affaire. Si des circonstances m'ont permis de l'étudier et de me faire une opinion formelle, je n'oublie pas qu'une enquête est ouverte, que la justice est saisie et que la simple honnêteté est d'attendre, sans ajouter à l'amas d'abominables commérages dont on obstrue une affaire si claire et si simple.

Mais les personnages, dès aujourd'hui, m'appartiennent, à moi qui ne suis qu'un passant, dont les yeux sont ouverts sur la vie. Et, si le condamné d'il y a trois ans, si l'accusé d'aujourd'hui me restent sacrés, tant que la justice n'aura pas fait son œuvre, le troisième grand personnage du drame, l'accusateur, ne saurait avoir à souffrir qu'on parle honnêtement et bravement de lui.

Ceci est ce que j'ai vu de M. Scheurer-Kestner*[1], ce que je pense et ce que j'affirme. Peut-être un jour, si les circonstances le permettent, parlerai-je des deux autres[2].

Une vie de cristal, la plus nette, la plus droite. Pas une tare, pas la moindre défaillance. Une même opinion, constamment suivie, sans ambition militante, aboutissant à une haute situation politique, due à l'unique sympathie respectueuse de ses pairs.

Et pas un rêveur, pas un utopiste. Un industriel, qui a vécu enfermé dans son laboratoire, tout à des recherches spéciales,

---

1. Ce symbole (*) renvoie au portrait qui se trouve en fin de volume.
2. Alfred Dreyfus et Charles-Ferdinand Walsin Esterhazy*, le véritable traître, qui venait d'être, le 15 novembre, dénoncé par Mathieu Dreyfus*, le frère du capitaine.

sans compter le souci quotidien d'une grande maison de commerce à gouverner.

Et, j'ajoute, une haute situation de fortune. Toutes les richesses, tous les honneurs, tous les bonheurs, le couronnement d'une belle vie, donnée entière au travail et à la loyauté. Plus un seul désir à formuler, que celui de finir dignement, dans cette joie et dans ce bon renom.

Voilà donc l'homme. Tous le connaissent, personne ne saurait me démentir. Et voilà l'homme chez lequel va se jouer le plus tragique, le plus passionnant des drames. Un jour, un doute tombe dans son esprit, car ce doute est dans l'air et il a déjà troublé plus d'une conscience. Un conseil de guerre a condamné, pour crime de trahison, un capitaine, qui peut-être est innocent. Le châtiment a été effroyable, la dégradation publique, l'internement au loin, toute l'exécration d'un peuple s'acharnant, achevant le misérable à terre. Et, s'il était innocent, grand Dieu ! quel frisson d'immense pitié ! quelle horreur froide, à la pensée qu'il n'y aurait pas de réparation possible !

Le doute est né dans l'esprit de M. Scheurer-Kestner. Dès lors, comme il l'a expliqué lui-même, le tourment commence, la hantise renaît, au hasard de ce qu'il apprend. C'est une intelligence solide et logique qui peu à peu va être conquise par l'insatiable besoin de la vérité. Rien n'est plus haut, rien n'est plus noble, et ce qui s'est passé chez cet homme est un extraordinaire spectacle, qui m'enthousiasme, moi dont le métier est de me pencher sur les consciences. Le débat de la vérité pour la justice, il n'est pas de lutte plus héroïque.

J'abrège, M. Scheurer-Kestner tient enfin une certitude. La vérité lui est connue, il va faire de la justice. C'est la minute redoutable. Pour un esprit comme le sien, je m'imagine quelle a dû être cette minute d'angoisse. Il n'ignorait rien des tempêtes qu'il devait soulever, mais la vérité et la justice sont souveraines, car elles seules assurent la grandeur des nations. Il peut se faire que des intérêts politiques les obscurcissent un moment, tout peuple qui ne baserait pas sur elles son unique raison d'être, serait aujourd'hui un peuple condamné.

Apporter la vérité, c'est bien ; mais on peut avoir l'ambition de s'en faire gloire. Certains la vendent, d'autres veulent au moins en tirer le profit de l'avoir dite.

Le projet de M. Scheurer-Kestner était, tout en faisant son

œuvre, de disparaître. Il avait résolu de dire au gouvernement :
« Voici ce qui est. Prenez l'affaire en main, ayez de vous-même
le mérite d'être juste, en réparant une erreur. Au bout de toute
justice, il y a un triomphe. » Des circonstances, dont je ne veux
point parler, firent qu'on ne l'écouta pas.

A partir de ce moment, il connut le calvaire qu'il monte
depuis des semaines. Le bruit s'était répandu qu'il avait la vérité
en main, et un homme qui détient la vérité, sans la crier sur les
toits, peut-il être autre chose qu'un ennemi public ? Stoïquement
d'abord, pendant quinze interminables jours, il fut fidèle à la
parole qu'il avait donnée de se taire, dans l'espoir toujours qu'il
n'en serait pas réduit à prendre le rôle de ceux-là seuls qui
auraient dû agir. Et l'on sait quelle marée d'invectives et de
menaces s'est ruée vers lui pendant ces quinze jours, tout un
flot d'immondes accusations, sous lequel il est resté impassible,
le front haut. Pourquoi se taisait-il ? Pourquoi n'ouvrait-il pas
son dossier à tout venant ? Pourquoi ne faisait-il pas comme les
autres, qui emplissaient les journaux de leurs confidences ?

Ah ! qu'il a été grand et sage ! S'il se taisait, en dehors même
de la promesse qu'il avait faite, c'était justement qu'il avait
charge de vérité. Cette pauvre vérité, nue et frissonnante, huée
par tous, que tous semblaient avoir intérêt à étrangler, il ne
songeait qu'à la protéger contre tant de passions et de colères.
Il s'était juré qu'on ne l'escamoterait pas, et il entendait choisir
son heure et ses moyens, pour lui assurer le triomphe. Quoi de
plus naturel, quoi de plus louable ? Je ne sais rien de plus sou-
verainement beau que le silence de M. Scheurer-Kestner, depuis
les trois semaines où tout un peuple affolé le suspecte et l'injurie.
Dressez donc cette figure-là, romanciers ! vous aurez un héros !

Les plus doux ont émis des doutes sur son état de santé céré-
brale. N'était-il pas un vieillard affaibli, tombé à l'enfance sénile,
un de ces esprits que le gâtisme commençant livre à toute crédulité ? Les autres, les fous et les bandits, l'ont tout bonnement
accusé d'avoir touché « la forte somme ». C'est bien simple, les
juifs ont donné un million pour acheter cette inconscience[3]. Et

---

3. Dans ses Mémoires, qu'il faut lire pour avoir le détail de son engagement,
Scheurer-Kestner notera à ce propos : « (...) dans la presse et dans le grand
public, je suis horriblement vilipendé. Les injures, les calomnies, les mensonges
les plus extraordinaires coulent à flots dans les feuilles indifférentes aussi bien
que dans les feuilles infâmes. / La presse allait *crescendo* ; j'étais un brave homme
dont on avait abusé ; un vieux "gaga" qui s'était laissé duper ; on en vint même

il ne s'est pas élevé un rire immense pour répondre à cette stupidité !

M. Scheurer-Kestner est là, avec sa vie de cristal. Placez donc en face de lui les autres, ceux qui l'accusent et l'insultent. Et jugez. Il faut choisir entre ceux-ci et celui-là. Trouvez donc la raison qui le ferait agir, en dehors de son besoin si noble de vérité et de justice. Abreuvé d'injures, l'âme déchirée, sentant trembler sous lui sa haute situation, prêt à tout sacrifier pour mener à bien son héroïque tâche, il se tait, il attend. Et cela est d'une extraordinaire grandeur.

Je l'ai dit, l'affaire en elle-même, je ne veux pas m'en occuper. Pourtant, il faut que je le répète : elle est la plus simple, la plus claire du monde, quand on veut bien la prendre pour ce qu'elle est.

Une erreur judiciaire, la chose est d'une éventualité déplorable, mais toujours possible. Des magistrats se trompent, des militaires peuvent se tromper. En quoi l'honneur de l'armée est-il engagé là-dedans ? L'unique beau rôle, s'il y a eu une erreur commise, est de la réparer ; et la faute ne commencerait que le jour où l'on s'entêterait à ne pas vouloir s'être trompé, même devant des preuves décisives. Au fond, il n'y a pas d'autre difficulté. Tout ira bien, lorsqu'on sera décidé à reconnaître qu'on a pu commettre une erreur et qu'on a hésité ensuite devant l'ennui d'en convenir. Ceux qui savent me comprendront.

Quant aux complications diplomatiques à craindre, c'est un épouvantail pour les badauds. Aucune puissance voisine n'a rien à voir dans l'affaire, c'est ce qu'il faut déclarer hautement. On ne se trouve que devant une opinion publique exaspérée, surmenée par la plus odieuse des campagnes. La presse est une force nécessaire ; je crois en somme qu'elle fait plus de bien que de mal. Mais certains journaux n'en sont pas moins les coupables, affolant les uns, terrorisant les autres, vivant de scandales pour tripler leur vente. L'imbécile antisémitisme a soufflé cette démence. La délation est partout, les plus purs et les plus braves n'osent faire leur devoir, dans la crainte d'être éclaboussés.

Et l'on en est arrivé à cet horrible gâchis, où tous les sentiments sont faussés, où l'on ne peut vouloir la justice sans être

---

à la folie... Ce filon-là fut exploité par *La Libre Parole** pendant plusieurs jours avec persistance » (*Mémoires d'un sénateur dreyfusard*, pp. 167-168).

traité de gâteux ou de vendu. Les mensonges s'étalent, les plus sottes histoires sont reproduites gravement par les journaux sérieux, la nation entière semble frappée de folie, lorsqu'un peu de bon sens remettrait tout de suite les choses en place. Ah ! que cela sera simple, je le dis encore, le jour où ceux qui sont les maîtres oseront, malgré la foule ameutée, être de braves gens !

J'imagine que, dans le hautain silence de M. Scheurer-Kestner, il y a eu aussi le désir d'attendre que chacun fît son examen de conscience, avant d'agir. Lorsqu'il a parlé de son devoir qui, même sur les ruines de sa haute situation, de sa fortune et de son bonheur, lui commandait de faire la vérité, dès qu'il l'a connue, il a eu ce mot admirable : « Je n'aurais pas pu vivre.[4] » Eh bien ! c'est ce que doivent se dire tous les honnêtes gens mêlés à cette affaire : ils ne pourront plus vivre, s'ils ne font pas justice.

Et, si des raisons politiques voulaient que la justice fût retardée, ce serait une faute nouvelle qui ne ferait que reculer l'inévitable dénouement, en l'aggravant encore.

La vérité est en marche, et rien ne l'arrêtera.

---

4. « Justice sera faite ou j'y périrai », avait-il écrit peu avant (cité *in* Dreyfus, *Carnets 1899-1907*).

Le Syndicat

On en connaît la conception. Elle est d'une bassesse et d'une niaiserie simpliste, dignes de ceux qui l'ont imaginée.

Le capitaine Dreyfus est condamné par un conseil de guerre pour crime de trahison. Dès lors, il devient le traître, non plus un homme, mais une abstraction, incarnant l'idée de la patrie égorgée, livrée à l'ennemi vainqueur. Il n'est pas que la trahison présente et future, il représente aussi la trahison passée, car on l'accable de la défaite ancienne, dans l'idée obstinée que seule la trahison a pu nous faire battre.

Voilà l'âme noire, l'abominable figure, la honte de l'armée, le bandit qui vend ses frères, ainsi que Judas a vendu son Dieu. Et, comme il est juif, c'est bien simple, les juifs qui sont riches et puissants, sans patrie d'ailleurs, vont travailler souterrainement, par leurs millions, à le tirer d'affaire, en achetant des consciences, en enveloppant la France d'un exécrable complot, pour obtenir la réhabilitation du coupable, quittes à lui substituer un innocent. La famille du condamné, juive elle aussi naturellement, entre dans l'affaire. Et c'est bien une affaire, il s'agit à prix d'or de déshonorer la justice, d'imposer le mensonge, de salir un peuple par la plus impudente des campagnes. Tout cela pour sauver un juif de l'infamie et l'y remplacer par un chrétien.

Donc, un syndicat se crée. Ce qui veut dire que des banquiers se réunissent, mettent de l'argent en commun, exploitent la crédulité publique. Quelque part, il y a une caisse qui paye toute la boue remuée. C'est une vaste entreprise ténébreuse, des gens masqués, de fortes sommes remises la nuit, sous les ponts, à des inconnus, de grands personnages que l'on corrompt, dont on achète la vieille honnêteté à des prix fous.

Et le syndicat s'élargit ainsi peu à peu, il finit par être une puissante organisation, dans l'ombre, toute une conspiration éhontée pour glorifier le traître et noyer la France sous un flot d'ignominie.

Examinons-le, ce syndicat.

Les juifs ont fait l'argent, et ce sont eux qui payent l'honneur des complices, à bureau ouvert. Mon Dieu ! je ne sais pas ce qu'ils ont pu dépenser déjà. Mais, s'ils n'en sont qu'à une dizaine de millions, je comprends qu'ils les aient donnés. Voilà des citoyens français, nos égaux et nos frères, que l'imbécile antisémitisme traîne quotidiennement dans la boue. On a prétendu les écraser avec le capitaine Dreyfus, on a tenté de faire, du crime de l'un d'eux, le crime de la race entière. Tous des traîtres, tous des vendus, tous des condamnés. Et vous ne voulez pas que ces gens, furieusement, protestent, tâchent de se laver, de rendre coup pour coup, dans cette guerre d'extermination qui leur est faite ! Certes, on comprend qu'ils souhaitent passionnément de voir éclater l'innocence de leur coreligionnaire ; et, si la réhabilitation leur apparaît possible, ah ! de quel cœur ils doivent la poursuivre !

Ce qui me tracasse, c'est que, s'il existe un guichet où l'on touche, il n'y ait pas quelques gredins avérés dans le syndicat. Voyons, vous les connaissez bien : comment se fait-il qu'un tel, et celui-ci, et cet autre, n'en soient pas ? L'extraordinaire est même que tous les gens que les juifs ont, dit-on, achetés, sont précisément d'une réputation de probité solide. Peut-être ceux-ci y mettent-ils de la coquetterie, ne veulent-ils avoir que de la marchandise rare, en la payant son prix. Je doute donc fortement du guichet, bien que je sois tout prêt à excuser les juifs, si, poussés à bout, ils se défendaient avec leurs millions. Dans les massacres, on se sert de ce qu'on a. Et je parle d'eux bien tranquillement, car je ne les aime ni ne les hais. Je n'ai parmi eux aucun ami qui soit près de mon cœur. Ils sont pour moi des hommes, et cela suffit.

Mais, pour la famille du capitaine Dreyfus, il en va autrement, et ici quiconque ne comprendrait pas, ne s'inclinerait pas, serait un triste cœur. Entendez-vous ! tout son or, tout son sang, la famille a le droit, le devoir de le donner, si elle croit son enfant innocent. Là est le seuil sacré que personne n'a le droit de salir. Dans cette maison qui pleure, où il y a une femme, des frères, des parents en deuil, il ne faut entrer que le chapeau à la main ; et les goujats seuls se permettent de parler haut et d'être insolents. Le frère du traître ! c'est l'insulte qu'on jette à la face de ce frère ! Sous quelle morale, sous quel Dieu vivons-nous donc, pour que la chose soit possible, pour que la faute d'un des membres soit reprochée à la famille entière ? Rien n'est plus bas, plus indigne de notre culture et de notre générosité. Les journaux qui injurient le frère du capitaine Dreyfus parce qu'il fait son devoir, sont une honte pour la presse française.

Et qui donc aurait parlé, si ce n'était lui ? Il est dans son rôle. Lorsque sa voix s'est élevée demandant justice, personne n'avait plus à intervenir, tous se sont effacés. Il avait seul qualité pour soulever cette redoutable question de l'erreur judiciaire possible, de la vérité à faire, éclatante. On aura beau entasser les injures, on n'obscurcira pas cette notion que la défense de l'absent est entre les mains de ceux de son sang, qui ont gardé l'espérance et la foi. Et la plus forte preuve morale en faveur de l'innocence du condamné, est encore l'inébranlable conviction de toute une famille honorable, d'une probité et d'un patriotisme sans tache.

Puis, après les juifs fondateurs, après la famille directrice, viennent les simples membres du syndicat, ceux qu'on a achetés. Deux des plus anciens sont MM. Bernard Lazare* et le commandant Forzinetti*. Ensuite, il y a eu M. Scheurer-Kestner et M. Monod*. Dernièrement, on a découvert le colonel Picquart*, sans compter M. Leblois*. Et j'espère bien que, depuis mon premier article, je fais partie de la bande. D'ailleurs, est du syndicat, est convaincu d'être un malfaiteur et d'avoir été payé, quiconque, hanté par l'effroyable frisson d'une erreur judiciaire possible, se permet de vouloir que la vérité soit faite, au nom de la justice.

Mais, vous tous qui poussez à cet affreux gâchis, faux patriotes, antisémites braillards, simples exploiteurs vivant de la débâcle publique, c'est vous qui l'avez voulu, qui l'avez fait, ce syndicat !

Est-ce que l'évidence n'est pas complète, d'une clarté de plein jour ? S'il y avait eu syndicat, il y aurait eu entente, et où est-elle donc, l'entente ? Ce qu'il y a simplement, dès le lendemain de la condamnation, c'est un malaise dans certaines consciences, c'est un doute, devant le misérable qui hurle à tous son innocence. La crise terrible, la folie publique à laquelle nous assistons, est sûrement partie de là, de ce frisson léger resté dans les âmes. Et c'est le commandant Forzinetti qui est l'homme de ce frisson, éprouvé par tant d'autres, et dont il nous a fait un récit si poignant.

Puis, c'est M. Bernard Lazare. Il est pris de doute, et il travaille à faire la lumière. Son enquête solitaire se poursuit d'ailleurs au milieu de ténèbres qu'il ne peut percer. Il publie une brochure, il en fait paraître une seconde, à la veille des révélations d'aujourd'hui ; et la preuve qu'il travaillait seul, qu'il n'était en relation avec aucun des autres membres du syndicat, c'est qu'il n'a rien su, n'a rien pu dire de la vraie vérité. Un drôle de syndicat, dont les membres s'ignorent !

Puis, c'est M. Scheurer-Kestner, que le besoin de vérité et de justice torture de son côté, et qui cherche, et qui tâche de se faire une certitude, sans rien savoir de l'enquête officielle – je dis officielle – qui était faite au même moment par le colonel Picquart, mis sur la bonne piste par sa fonction même au ministère de la guerre. Il a fallu un hasard, une rencontre[1], comme on le saura plus tard, pour que ces deux hommes qui ne se connaissaient pas, qui travaillaient à la même œuvre, chacun de son côté, finissent, à la dernière heure, par se rejoindre et par marcher côte à côte.

Toute l'histoire du syndicat est là : des hommes de bonne volonté, de vérité et d'équité, partis des quatre bouts de l'horizon, travaillant à des lieues et sans se connaître, mais marchant tous par des chemins divers au même but, cheminant en silence, fouillant la terre, et aboutissant tous un beau matin au même point d'arrivée. Tous, fatalement, se sont trouvés, la main dans la main, à ce carrefour de la vérité, à ce rendez-vous fatal de la justice.

Vous voyez bien que c'est vous qui, maintenant, les réunissez, les forcez de serrer leurs rangs, de travailler à une même besogne de santé et d'honnêteté, ces hommes que vous couvrez d'insultes, que vous accusez du plus noir complot, lorsqu'ils n'ont voulu qu'une œuvre de suprême réparation.

Dix, vingt journaux, où se mêlent les passions et les intérêts les plus divers, toute une presse immonde que je ne puis lire sans que mon cœur se brise d'indignation, n'a donc cessé de persuader au public qu'un syndicat de juifs, achetant les consciences à prix d'or, s'employait au plus exécrable des complots. D'abord, il fallait sauver le traître, le remplacer par un inno-

---

1. Celle de Leblois, au cours d'un dîner, le 13 juillet 1897, où il lui avait fait part de la découverte du véritable traître par son ami Picquart.

cent ; puis, c'était l'armée qu'on déshonorerait, la France qu'on vendrait, comme en 1870. Je passe les détails romanesques de la ténébreuse machination.

Et, je le confesse, cette opinion est devenue celle de la grande majorité du public. Que de gens simples m'ont abordé depuis huit jours, pour me dire d'un air stupéfait : « Comment ! M. Scheurer-Kestner n'est donc pas un bandit ? et vous vous mettez avec ces gens-là ! Mais vous ne savez donc pas qu'ils ont vendu la France ! » Mon cœur se serre d'angoisse, car je sens bien qu'une telle perversion de l'opinion va permettre tous les escamotages. Et le pis est que les braves sont rares, quand il faut remonter le flot. Combien vous murmurent à l'oreille qu'ils sont convaincus de l'innocence du capitaine Dreyfus, mais qu'ils n'ont que faire de se mettre en dangereuse posture, dans la bagarre[2] !

Derrière l'opinion publique, comptant sans doute s'appuyer sur elle, il y a les bureaux du ministère de la guerre. Je n'en veux pas parler aujourd'hui, car j'espère encore que justice sera faite. Mais qui ne sent que nous sommes devant la plus têtue des mauvaises volontés ? On ne veut pas avouer qu'on a commis des erreurs, j'allais dire des fautes. On s'obstine à couvrir les personnages compromis. On est résolu à tout, pour éviter l'énorme coup de balai. Et cela est si grave, en effet, que ceux-là mêmes qui ont la vérité en main, de qui on exige furieusement cette vérité, hésitent encore, attendent pour la crier publiquement, dans l'espérance qu'elle s'imposera d'elle-même et qu'ils n'auront pas la douleur de la dire.

Mais il est une vérité du moins que, dès aujourd'hui, je voudrais répandre par la France entière. C'est qu'on est en train de lui faire commettre, à elle la juste, la généreuse, un véritable crime. Elle n'est donc plus la France, qu'on peut la tromper à ce point, l'affoler contre un misérable qui, depuis trois ans, expie, dans des conditions atroces, un crime qu'il n'a pas commis. Oui, il existe là-bas, dans un îlot perdu, sous le dur soleil, un être qu'on a séparé des humains. Non seulement la grande mer l'isole, mais onze gardiens l'enferment nuit et jour d'une

---

2. On peut, pour illustrer cela, citer l'exemple d'un petit poète montmartrois célèbre à l'époque et aujourd'hui oublié, Jehan-Rictus, qui notait, dans son journal quotidien : « (...) en ce moment on ne peut risquer l'hypothèse de l'innocence sans risquer d'être injurié, traité de vendu, de traître, de juif, et autres aménités. » (*Journal*, Cahier 1, B.N. n.a.fr. 16097, p. 106, à la date du 2 octobre 1898.)

muraille vivante. On a immobilisé onze hommes pour en garder un seul. Jamais assassin, jamais fou furieux n'a été muré si étroitement[3]. Et l'éternel silence, et la lente agonie sous l'exécration de tout un peuple ! Maintenant, osez-vous dire que cet homme n'est pas coupable ?

Eh bien ! c'est ce que nous disons, nous autres, les membres du syndicat. Et nous le disons à la France, et nous espérons qu'elle finira par nous entendre, car elle s'est toujours enflammée pour les causes justes et belles. Nous lui disons que nous voulons l'honneur de l'armée, la grandeur de la nation. Une erreur judiciaire a été commise et tant qu'elle ne sera pas réparée, la France souffrira, maladive, comme d'un cancer secret qui peu à peu ronge les chairs. Et si, pour lui refaire de la santé, il y a quelques membres à couper, qu'on les coupe !

Un syndicat pour agir sur l'opinion, pour la guérir de la démence où la presse immonde l'a jetée, pour la ramener à sa fierté, à sa générosité séculaires. Un syndicat pour répéter chaque matin que nos relations diplomatiques ne sont pas en jeu, que l'honneur de l'armée n'est point en cause, que des individualités seules peuvent être compromises. Un syndicat pour démontrer que toute erreur judiciaire est réparable et que s'entêter dans une erreur de ce genre, sous le prétexte qu'un conseil de guerre ne peut se tromper, est la plus monstrueuse des obstinations, la plus effroyable des infaillibilités. Un syndicat pour mener campagne jusqu'à ce que la vérité soit faite, jusqu'à ce que la justice soit rendue, au travers de tous les obstacles, même si des années de lutte sont encore nécessaires.

De ce syndicat, ah ! oui, j'en suis, et j'espère bien que tous les braves gens de France vont en être !

---

3. Et plus encore que ne le dit Zola. En septembre 1896, Dreyfus avait été pendant deux mois mis aux fers et sa case avait été entourée, pour prévenir d'invraisemblables risques d'évasion, d'une haute palissade qui lui cachait dorénavant la mer.

Conversation avec M. Zola

Le Cas de Dreyfus

Notre excellent confrère et collaborateur Paul Brulat, qui est, on le sait, un des familiers de M. Émile Zola, nous apporte le récit qu'on va lire d'une conversation avec le Maître. Nous ne partageons point – avons-nous besoin de le redire ici – la conviction qu'il y exprime en son nom et en celui du puissant écrivain dont le désintéressement ne saurait être discuté. Notre seule impartialité nous fait accueillir cette opinion, – qui n'est point nôtre, on le sait, car nous avons toujours estimé que l'ex-capitaine Dreyfus a été justement et régulièrement condamné et qu'il n'y a pas lieu de discuter l'autorité de la chose jugée ; mais nous sommes persuadés que nos lecteurs y trouveront, à l'heure présente, un vif intérêt. – *N.D.L.R.*

J'ai eu hier, au sujet de l'affaire Dreyfus, une longue conversation avec Émile Zola. J'étais allé le voir en ami, non en journaliste ; je ne suis donc pas autorisé à publier cette conversation, comme on m'y exhorte ici. Je ne puis qu'en indiquer le sens général. Du reste, Zola se réserve, si les événements l'y poussent, d'entreprendre une campagne de presse.

« Si l'enquête en cours [1], m'a-t-il dit, ne conclut pas à la révision du procès – et je m'y attends – je prendrai la plume, et j'irai jusqu'au bout, jusqu'à ce que la vérité ait triomphé. Et elle triomphera malgré tout, dussé-je lutter seul contre toute la presse, contre le gouvernement, contre l'opinion publique elle-même. Et je suis tranquille, quant au résultat, car il est impossible qu'à notre époque la vérité reste étouffée à tout jamais. Je crois à l'innocence du capitaine Dreyfus, et ce ne sont pas les injures d'une abominable presse qui m'imposeront le silence. »

Nous parlons de l'enquête :

« C'est une *frime*, me dit Zola. Ils sont tous édifiés depuis longtemps. Je puis vous dire que le général Saussier*, entre

---

1. Sur Esterhazy.

autres, est convaincu, comme moi, que Dreyfus n'est pas coupable.[2] »

Je ne crois pas pouvoir répéter à ce sujet et au sujet du lieutenant-colonel Picquart ce que m'a raconté Zola. Il le dira lui-même, quand il le jugera à propos. Cela, et bien autre chose !

Et l'affaire Dreyfus apparaîtra comme la plus grande infamie de ce temps.

« Ils ont beau faire, beau mentir, beau nier l'évidence, me dit encore Zola, la vérité est plus forte que tous les brigands réunis et conspirant ensemble pour tromper l'opinion. La plaie ne fera que s'élargir et s'envenimer, si on ne se décide pas à la cicatriser tout de suite par un acte de justice. Et cet acte de justice, c'est la révision du procès, révision qui s'impose à l'heure présente, car il est certain maintenant que le fameux bordereau, sur lequel repose le procès ou qui fut, tout au moins, un des principaux chefs d'accusation, n'a pas été écrit par Dreyfus.

Il est, en effet, impossible de soutenir sérieusement que l'auteur de ce bordereau n'est pas M. Esterhazy. Cela est l'évidence même, et, pour le contester, il faut une inqualifiable mauvaise foi. Les explications de M. Esterhazy sont inadmissibles[3]. Tout l'accuse : l'écriture est identique. Le coupable d'ailleurs, s'est dénoncé lui-même en s'efforçant de modifier son écriture, aussitôt après la publication du bordereau, qui fut faite par un journal du matin[4], le 10 novembre 1896. Enfin, ce que contient ce bordereau est inexplicable, si on l'attribue à Dreyfus, mais s'explique, au contraire, parfaitement, écrit par M. Esterhazy, car ici les faits et les mots concordent de façon absolue.[5] »

---

2. Saussier fit répondre à cela : « Une interview d'un journal du matin prête au général Saussier, d'après M. Émile Zola, une opinion qu'il n'a jamais exprimée. Chef de la justice militaire, le premier devoir du gouverneur de Paris est d'avoir le respect le plus absolu de la chose jugée » (*Le Soir**, 3 décembre 1897).

3. Il les avait données au cours d'une interview à Adolphe Possien, pour *L'Écho de Paris** (« L'Affaire Dreyfus, 18 et 19 novembre »). *Cf.* note 5.

4. Dans *Le Matin**.

5. En effet, contrairement à ce qu'avait affirmé Esterhazy dans l'interview précitée, toutes les pièces énumérées au bordereau avaient pu être en sa possession. Esterhazy avait déclaré que, fantassin, il ignorait tout des pièces en question qui se rapportaient à l'artillerie. Cela était vrai et constituait justement, il l'apprendra plus tard, la meilleure indication de sa culpabilité et la certitude de l'innocence du capitaine. Dreyfus, artilleur, n'aurait pu, en effet, écrivant le bordereau, faire preuve d'une telle méconnaissance des termes en usage dans l'artillerie, maladresses et impropriétés qu'un fantassin pouvait commettre. De même, Esterhazy niait avoir écrit la dernière phrase du bordereau, qui annon-

– Mais, dis-je, le bordereau ne serait pas l'unique charge contre Dreyfus.

– Si. Les autres charges, selon moi, n'existent pas, ou, du moins, elles ne sont pas sérieuses, elles ne prouvent rien, et c'est ce que je me réserve de discuter.

Je sentais une conviction profonde, inébranlable. Je ne puis reproduire la conversation entière de M. Zola, parce que je n'y suis pas autorisé. Rien n'était émouvant comme la parole forte et grave de ce grand honnête homme. Et tout ce que je puis ajouter, c'est qu'elle m'aurait convaincu, si je ne l'avais été déjà.

Comme j'allais me retirer, Zola me dit ces derniers mots :

« J'ai les preuves matérielles de l'innocence de Dreyfus. Il ne restera pas au bagne. J'en fais mon affaire. »

_____

çait un proche départ pour les manœuvres. Dreyfus n'était jamais allé à de quelconques manœuvres, ce qui n'était pas le cas d'Esterhazy qui, s'il n'était pas allé à celles de septembre 1894, était allé, en août, aux écoles à feu de Châlons. De plus, pour finir sur ce point important, Dreyfus n'aurait jamais pu écrire « Je vais partir en manœuvres », avec une faute qui n'était pas dans ses habitudes mais bien dans celles d'Esterhazy dont on retrouvera plus tard une lettre avec la même formule fautive (tout cela fut analysé et exposé en détail, au cours de la seconde révision de 1904, par une commission de quatre généraux. *Cf.* Dreyfus, *Carnets 1899-1907*).

Conversation avec M. Zola

Les « Novosti ». – Un livre sur Dreyfus. – Récit historique.

Sous ce titre, M. E. Séménoff, le correspondant parisien des *Novosti* [1], publie une interview de M. Émile Zola dans le dernier numéro de son journal. Nous la donnons à titre documentaire :

– Votre manière de voir en ce qui concerne l'affaire Dreyfus ressort clairement de votre article, et, si je suis venu chez vous, ce n'est pas pour vous poser des questions indiscrètes en vue d'obtenir des réponses sensationnelles. Je veux seulement vous demander ceci : Comptez-vous profiter de cette affaire extraordinairement dramatique comme d'un sujet pour un de vos prochains ouvrages ?

– Si vous étiez un journaliste français, je ne vous dirais rien, et vous voyez tout de suite pourquoi. Mais, comme vous écrivez en russe et pour la Russie, je vous dirai : Oui, après avoir pris connaissance, une connaissance approfondie de cette affaire, j'ai, naturellement, résolu d'en profiter. Mais comment et pourquoi, je ne le sais pas encore moi-même. Que de passion il y a là ! que de psychologie humaine ! que d'intérêts en conflit ! Donner à cela forme dialoguée – non en vue de la scène assurément, non point pour l'argent, non pour le « scandale », mais créer une œuvre où tout reposerait sur la lutte pour la vérité et la justice, comme cela est intéressant ! voilà ce à quoi j'avais d'abord pensé. Mais j'ai trouvé cette forme incommode et je me suis mis à en chercher d'autres. Je n'ai rien trouvé de mieux, rien de plus intéressant, de plus empoignant, de plus instructif que la forme du récit historique. Oui, continua, en s'animant de plus en plus, le célèbre écrivain, oui, j'écrirai l'histoire de cette affaire, parce que je la connais, je la connais tout entière, telle

---

1. Eugène Kogan Séménoff. En 1899, pendant le procès de Rennes, interrogé par le journaliste Jean-Bernard, il racontera qu'il avait cru à la culpabilité de Dreyfus, « condamné par ses pairs et camarades », jusqu'à la campagne de Bernard Lazare et l'intervention de Zola qui ont « fait sortir au grand jour tous les détails épouvantables de ce drame historique » (*Le Procès de Rennes*, p. 431).

qu'elle est. Je sais la vérité, et on ne peut s'imaginer rien d'émouvant, rien de plus rare dans l'histoire... J'ai pensé, dans un temps, à écrire l'histoire du Panama, mais elle est pleine de bassesses et de boue, tandis qu'ici, dans cette affaire, nous rencontrons les passions les plus fortes, une extraordinaire beauté, un crime extraordinaire – et je ne parle pas de l'espionnage, fait ordinaire dans les relations internationales – et des caractères rares à notre époque. Que peut-il y avoir de mieux, en réalité que l'histoire de cette affaire, avec tous ses détails, avec tous les motifs psychologiques des personnages agissants ? que peut-il y avoir de plus instructif ? Pour moi – psychologue – c'est mon domaine. Et les caractères des personnages agissants ! Avant tout, les trois figures centrales, les trois caractères principaux, dont vous trouverez difficilement les pareils, ce sont trois types : Scheurer-Kestner, dont j'ai déjà parlé, l'innocent Dreyfus et le vrai coupable...

Zola parlait d'une voix haute et nette au milieu du profond silence qui régnait dans tout son hôtel.

– Et, en dehors de ces trois caractères, poursuivit Zola, combien de personnages en évidence qui luttent contre la vérité, qui sont intéressés au mensonge ! et combien qui la réclament et travaillent pour elle ! Il n'y a pas d'intérêt supérieur pour l'historien, pas de sujet plus élevé pour l'histoire, dont l'action se ramène en définitive à la lutte pour la vérité et la justice... Vous demandez quels sont ces personnages, quels sont ces hommes. Si vous avez lu mon article, si vous m'écoutez attentivement, vous devinerez qui ils sont, et, si vous le devinez, vous comprenez pourquoi je ne partage pas la conviction générale que la vérité ne tardera pas à se faire jour et que tout se découvrira. Oui, l'affaire est simple et claire ; mais, précisément parce que des intérêts et des hommes trop considérables tendent à étouffer la voix de la vérité, on ne la connaîtra pas de sitôt, quoique certainement tout, sans exception, doive finir par être connu. Ce sera difficile, il faudra faire beaucoup d'efforts, mais tout se découvrira ! Et les hommes puissants qui luttent maintenant contre la vérité verront se vérifier à leur préjudice le vers du poète :

« *Quos vult perdere Jupiter dementat.* [2] »

---

2. « Jupiter rend fous ceux qu'il veut perdre » (Euripide).

» Bien entendu, je n'écrirai l'histoire de cette affaire que quand elle aura reçu son dénouement. D'abord, elle m'a surpris, pour ainsi dire, au milieu de ma besogne quotidienne, de travaux livrables à échéance fixe, que je ne puis abandonner ; ensuite, pour l'histoire, il faut attendre la fin de l'affaire... Elle suit son cours. En dehors de ce que j'ai dit, je ne dirai et n'écrirai rien. Si je m'entretiens avec vous, c'est parce que vous êtes russe... Quant à notre presse, vous voyez comme, à de rares exceptions près, les passions sont débridées, le scandale déchaîné et tous les sentiments humains pervertis ! Mon Dieu, en causant avec vous et en pensant à cette grande Russie, si différente de nous et par les mœurs, et par la disposition morale, et par la race... oui, oui, quoi qu'on en dise, si différente de nous, que pense-t-elle ? Que peut-elle penser devant les excès de cette presse ?... Chez vous, à Saint-Pétersbourg, on sait ce qui se passe chez nous, on comprend, on apprécie, on est habitué à tout ; mais en province, mais dans les autres villes, que peut-on penser de ce mensonge homérique, de cet obscurcissement prémédité de ce qui doit être clair pour l'esprit humain, accessible pour l'âme humaine ? C'est, dans son genre, un terrible drame historique qui, ici, pour nous, peut être compréhensible, mais qui, là-bas... Vous m'excuserez, n'est-ce pas ? Vous comprenez que, pour le moment, je ne puis parler des détails de l'affaire... Je dois me taire, d'autant plus qu'absorbé par mes travaux je ne puis rien faire personnellement.

– A quoi travaillez-vous maintenant ? et quels sont vos projets ?

– Vous savez que je n'aime pas à parler de mes ouvrages quand ils sont, pour ainsi dire, en germe. A présent, je ne sais pas encore moi-même auquel d'entre eux je me mettrai, mais, d'ici à un mois ou six semaines, lorsque l'impression de mon roman sera terminée[3], je serai prêt à vous faire part de mes projets et de mes plans.

---

3. *Paris*, qui paraîtra en mars 1898 chez Charpentier.

Procès-verbal

Ah ! quel spectacle, depuis trois semaines, et quels tragiques, quels inoubliables jours nous venons de traverser ! Je n'en connais pas qui aient remué en moi plus d'humanité, plus d'angoisse et plus de généreuse colère. J'ai vécu exaspéré, dans la haine de la bêtise et de la mauvaise foi, dans une telle soif de vérité et de justice, que j'ai compris les grands mouvements d'âme qui peuvent jeter un bourgeois paisible au martyre.

C'est, en vérité, que le spectacle a été inouï, dépassant en brutalité, en effronterie, en ignoble aveu tout ce que la bête humaine a jamais confessé de plus instinctif et de plus bas. Un tel exemple est rare de la perversion, de la démence d'une foule, et sans doute est-ce pour cela que je me suis passionné à ce point, outre ma révolte humaine, en romancier, en dramaturge, bouleversé d'enthousiasme devant un cas d'une beauté si effroyable.

Aujourd'hui, voici l'affaire qui entre dans la phase régulière et logique, celle que nous avons désirée, demandée sans relâche. Un conseil de guerre est saisi, la vérité est au bout de ce nouveau procès[1], nous en sommes convaincus. Jamais nous n'avons voulu autre chose. Il ne nous reste qu'à nous taire et à attendre ; car, la vérité, ce n'est pas nous encore qui devons la dire, c'est le conseil de guerre qui doit la faire, éclatante. Et nous n'interviendrions de nouveau que si elle n'en sortait point complète, ce qui est, d'ailleurs, une hypothèse inadmissible.

Mais, la première phase étant terminée, ce gâchis en pleines ténèbres, ce scandale où tant de laides consciences se sont mises à nu, le procès-verbal doit en être dressé, il faut conclure sur elle. Car, dans la tristesse profonde des constatations qui s'imposent, il y a l'enseignement viril, le fer rouge dont on cautérise les plaies. Songeons-y tous, l'affreux spectacle que nous venons de nous donner à nous-mêmes doit nous guérir.

---

1. Pour juger Esterhazy.

D'abord, la presse.

Nous avons vu la basse presse en rut, battant monnaie avec les curiosités malsaines, détraquant la foule pour vendre son papier noirci, qui cesse de trouver des acheteurs, dès que la nation est calme, saine et forte. Ce sont surtout les aboyeurs du soir, les feuilles de tolérance qui raccrochent les passants avec leurs titres en gros caractères, prometteurs de débauches. Celles-là n'étaient que dans leur habituel commerce, mais avec une impudence significative.

Nous avons vu, plus haut dans l'échelle, les journaux populaires, les journaux à un sou, ceux qui s'adressent au plus grand nombre et qui font l'opinion de la foule, nous les avons vus souffler les passions atroces, mener furieusement une campagne de sectaires, tuant dans notre cher peuple de France toute générosité, tout désir de vérité et de justice. Je veux croire à leur bonne foi. Mais quelle tristesse, ces cerveaux de polémistes vieillis, d'agitateurs déments, de patriotes étroits, devenus des conducteurs d'hommes, commettant le plus noir des crimes, celui d'obscurcir la conscience publique et d'égarer tout un peuple ! Cette besogne est d'autant plus exécrable qu'elle est faite, dans certains journaux, avec une bassesse de moyens, une habitude du mensonge, de la diffamation et de la délation, qui resteront la grande honte de notre époque.

Nous avons vu, enfin, la grande presse, la presse dite sérieuse et honnête, assister à cela avec une impassibilité, j'allais dire une sérénité que je déclare stupéfiante. Ces journaux honnêtes se sont contentés de tout enregistrer avec un soin scrupuleux, la vérité comme l'erreur. Le fleuve empoisonné a coulé chez eux, sans qu'ils omettent une abomination. Certes, c'est là de l'impartialité. Mais quoi ? à peine çà et là une timide appréciation, pas une voix haute et noble, pas une, entendez-vous ! qui se soit élevée dans cette presse honnête, pour prendre le parti de l'humanité, de l'équité outragées !

Et nous avons vu surtout ceci – car au milieu de tant d'horreurs il doit suffire de choisir la plus révoltante – nous avons vu la presse, la presse immonde continuer à défendre un officier français, qui avait insulté l'armée et craché sur la nation. Nous avons vu cela, des journaux l'excusant, d'autres ne lui infligeant un blâme qu'avec des restrictions[2]. Comment ! il n'y a pas eu

_____

2. *Le Figaro** du 28 novembre 1897 venait de publier quelques lettres édi-

un cri unanime de révolte et d'exécration ! Que se passe-t-il donc pour que ce crime, qui, à un autre moment, aurait soulevé la conscience publique, en un besoin furieux de répression immédiate, ait pu trouver des circonstances atténuantes, dans ces mêmes journaux si chatouilleux sur les questions de félonie et de traîtrise ?

Nous avons vu cela. Et j'ignore ce qu'un tel symptôme a produit chez les autres spectateurs, puisque personne ne parle, puisque personne ne s'indigne. Mais, moi, il m'a fait frissonner, car il révèle, avec une violence inattendue, la maladie dont nous souffrons. La presse immonde a dévoyé la nation, et un accès de la perversion, de la corruption où elle l'a jetée, vient d'étaler l'ulcère, au plein jour.

L'antisémitisme, maintenant.

Il est le coupable. J'ai déjà dit combien cette campagne barbare, qui nous ramène de mille ans en arrière, indigne mon besoin de fraternité, ma passion de tolérance et d'émancipation humaine. Retourner aux guerres de religion, recommencer les persécutions religieuses, vouloir qu'on s'extermine de race à race, cela est d'un tel non-sens, dans notre siècle d'affranchissement, qu'une pareille tentative me semble surtout imbécile. Elle n'a pu naître que d'un cerveau fumeux, mal équilibré de croyant, que d'une grande vanité d'écrivain longtemps inconnu, désireux de jouer à tout prix un rôle, fût-il odieux. Et je ne veux

---

fiantes d'Esterhazy à une amie, Mme de Boulancy. On pouvait, par exemple, y lire : « La patience de ce stupide peuple français, qui est bien le plus antipathique que je connaisse, est sans limites : mais la mienne est à bout. Je ne resterai pas plus longtemps avec ces imbéciles et ces brutes voués d'avance à la défaite. Je ne ferais pas de mal à un petit chien, mais je ferais tuer cent mille Français avec plaisir (...). Ah ! comme tout cela ferait triste figure dans un rouge soleil de bataille, dans Paris pris d'assaut et livré au pillage de cent mille soldats ivres. Voilà une fête que je rêve, ainsi soit-il ! / Si l'on venait me dire ce soir que je serais tué demain comme capitaine de uhlans, en sabrant des Français, je serais parfaitement heureux. » La presse nationaliste fut très indulgente, en effet, à l'image de *L'Intransigeant** qui publia, le 30 novembre : « *Le Figaro* insère, en les attribuant au commandant Esterhazy, des lettres de la plus invraisemblable excentricité et dont il ne nomme pas le destinataire. Fussent-elles authentiques, leur publication ne constituerait qu'une vengeance misérable contre un homme calomnieusement dénoncé comme agent de l'Allemagne, et ne pourrait en quoi que ce soit servir à innocenter le traître Dreyfus : ce sont des documents tout à fait à côté » (Henri Rochefort, « La Flèche du Parthe »).

pas croire encore qu'un tel mouvement prenne jamais une importance décisive en France, dans ce pays de libre examen, de fraternelle bonté et de claire raison.

Pourtant, voilà des méfaits terribles. Je dois confesser que le mal est déjà très grand. Le poison est dans le peuple, si le peuple entier n'est pas empoisonné. Nous devons à l'antisémitisme la dangereuse virulence que les scandales du Panama ont prise chez nous. Et toute cette lamentable affaire Dreyfus est son œuvre : c'est lui seul qui a rendu possible l'erreur judiciaire, c'est lui seul qui affole aujourd'hui la foule, qui empêche que cette erreur ne soit tranquillement, noblement reconnue, pour notre santé et pour notre bon renom[3]. Était-il rien de plus simple, de plus naturel que de faire la vérité, aux premiers doutes sérieux, et ne comprend-on pas, pour qu'on en soit arrivé à la folie furieuse où nous en sommes, qu'il y a forcément là un poison caché qui nous fait délirer tous ?

Ce poison, c'est la haine enragée des juifs, qu'on verse au peuple, chaque matin, depuis des années. Ils sont une bande à faire ce métier d'empoisonneurs, et le plus beau, c'est qu'ils le font au nom de la morale, au nom du Christ, en vengeurs et en justiciers. Et qui nous dit que cet air ambiant où il délibérait, n'a pas agi sur le conseil de guerre ? Un juif traître, vendant son pays, cela va de soi. Si l'on ne trouve aucune raison humaine expliquant le crime, s'il est riche, sage, travailleur, sans aucune passion, d'une vie impeccable, est-ce qu'il ne suffit pas qu'il soit juif ?

Aujourd'hui, depuis que nous demandons la lumière, l'attitude de l'antisémitisme est plus violente, plus renseignante encore. C'est son procès qu'on va instruire, et si l'innocence d'un juif éclatait, quel soufflet pour les antisémites ! Il pourrait donc y avoir un juif innocent ? Puis, c'est tout un échafaudage de mensonges qui croule, c'est de l'air, de la bonne foi, de l'équité, la ruine même d'une secte qui n'agit sur la foule des simples que par l'excès de l'injure et l'impudence des calomnies.

---

3. Zola retrouvait ici l'analyse que Bernard Lazare avait proposée quelques jours plus tôt dans son second mémoire : « C'est parce qu'il était Juif qu'on l'a arrêté, c'est parce qu'il était Juif qu'on l'a jugé, c'est parce qu'il était Juif qu'on l'a condamné, c'est parce qu'il était Juif que l'on ne peut faire entendre en sa faveur la voix de la justice et de la vérité et la responsabilité de la condamnation de cet innocent retombe tout entière sur ceux qui l'ont provoquée par leurs excitations indignes, par leurs mensonges et par leurs calomnies » (pp. 6-7).

Voilà encore ce que nous avons vu, la fureur de ces malfaiteurs publics, à la pensée qu'un peu de clarté allait se faire. Et nous avons vu aussi, hélas ! le désarroi de la foule qu'ils ont pervertie, toute cette opinion publique égarée, tout ce cher peuple des petits et des humbles, qui court sus aux juifs aujourd'hui, et qui demain ferait une révolution pour délivrer le capitaine Dreyfus, si quelque honnête homme l'enflammait du feu sacré de la justice.

Enfin, les spectateurs, les acteurs, vous et moi, nous tous.

Quelle confusion, quel bourbier sans cesse accru ! Nous avons vu la mêlée des intérêts et des passions s'enfiévrer de jour en jour, des histoires ineptes, des commérages honteux, les démentis les plus impudents, le simple bon sens souffleté chaque matin, le vice acclamé, la vertu huée, toute une agonie de ce qui fait l'honneur et la joie de vivre. Et l'on a fini par trouver cela hideux. Certes ! mais qui avait voulu ces choses, qui les traînait en longueur ? Nos maîtres, ceux qui, avertis depuis plus d'un an, n'avaient rien osé faire. On les avait suppliés, leur prophétisant, phase par phase, le terrifiant orage qui s'amoncelait. L'enquête, ils l'avaient faite ; le dossier, ils l'avaient entre les mains. Et, jusqu'à la dernière heure, malgré des adjurations patriotiques, ils se sont entêtés dans leur inertie, plutôt que de prendre eux-mêmes l'affaire en main, pour la limiter, quittes à sacrifier tout de suite les individualités compromises. Le fleuve de boue a débordé, comme on le leur avait prédit, et c'est leur faute.

Nous avons vu des énergumènes triompher en exigeant la vérité de ceux qui disaient la savoir, lorsque ceux-ci ne pouvaient la dire, tant qu'une enquête restait ouverte. La vérité, elle a été dite au général chargé de cette enquête, et lui seul a eu mission de la faire connaître [4]. La vérité, elle sera dite encore au juge instructeur, et il aura seul qualité pour l'entendre, pour baser sur elle son acte de justice. La vérité ! quelle conception avez-vous d'elle, dans une pareille aventure, qui ébranle toute une vieille organisation, pour croire qu'elle est un objet simple et maniable, qu'on promène dans le creux de sa main et qu'on met à volonté dans la main des autres, telle qu'un caillou ou

---

4. Le général de Pellieux*.

qu'une pomme ? La preuve, ah ! oui, la preuve qu'on voulait là, tout de suite, comme les enfants veulent qu'on leur montre le vent qui passe. Soyez patients, elle éclatera, la vérité ; mais il y faudra tout de même un peu d'intelligence et de probité morale.

Nous avons vu une basse exploitation du patriotisme, le spectre de l'étranger agité dans une affaire d'honneur qui regarde la seule famille française. Les pires révolutionnaires ont clamé qu'on insultait l'armée et ses chefs, lorsque, justement, on ne veut que les mettre hors de toute atteinte, très haut. Et, en face des meneurs de foule, des quelques journaux qui ameutent l'opinion, la terreur a régné. Pas un homme de nos assemblées n'a eu un cri d'honnête homme, tous sont restés muets, hésitants, prisonniers de leurs groupes, tous ont eu peur de l'opinion, dans la prévision inquiète sans doute des élections prochaines. Ni un modéré, ni un radical, ni un socialiste, aucun de ceux qui ont la garde des libertés publiques, ne s'est levé encore pour parler selon sa conscience. Comment voulez-vous que le pays sache son chemin, dans la tourmente, si ceux-là mêmes qui se disent ses guides, se taisent, par tactique de politiciens étroits, ou par crainte de compromettre leurs situations personnelles ?

Et le spectacle a été si lamentable, si cruel, si dur à notre fierté, que j'entends répéter autour de moi : « La France est bien malade pour qu'une pareille crise d'aberration publique puisse se produire. » Non ! elle n'est que dévoyée, hors de son cœur et de son génie. Qu'on lui parle humanité et justice, elle se retrouvera toute, dans sa générosité légendaire.

Le premier acte est fini, le rideau est tombé sur l'affreux spectacle. Espérons que le spectacle de demain nous rendra courage et nous consolera.

J'ai dit que la vérité était en marche et que rien ne l'arrêterait. Un premier pas est fait, un autre se fera, puis un autre, puis le pas décisif. Cela est mathématique.

Pour le moment, dans l'attente de la décision du conseil de guerre, mon rôle est donc terminé ; et je désire ardemment que, la vérité étant faite, la justice rendue, je n'aie plus à lutter pour elles.

M. Zola et le vote de la Chambre

Chez M. Émile Zola

– Que pensez-vous du vote de la Chambre sur l'affaire Dreyfus ? demandais-je hier matin à M. Émile Zola.

A ces mots, les traits du Maître s'empourprèrent. Il serra les poings et me répondit, avec une superbe colère :

– Je pense que cette Chambre infâme vient de se déshonorer une fois de plus. Hier, elle s'est couverte de honte. Elle a commis une abomination. Depuis que je suis levé, je cherche comment lui faire connaître mon indignation. Quel triste temps que le nôtre ! Quel indigne, quel immonde spectacle nous est donné !

Dire que pas un seul député n'a osé monter à la tribune pour faire entendre quelques paroles de raison et de bon sens, que pas un n'a eu le courage de s'écrier : « Au-dessus des intérêts mesquins et temporaires de votre vaine politique, au-dessus de vos rancunes et de vos haines, tas de petits esprits que vous êtes, il y a l'humanité et la justice, il y a l'honneur de la France ! Ne vous apercevez-vous donc pas que vous faites de mauvaise besogne, de mauvaise cuisine parlementaire ; qu'il y a un frisson dans l'air ; que l'Europe entière a les yeux fixés sur vous, qu'elle vous écoute et vous juge » !

Je reçois beaucoup de visites, vous le savez. Tous les étrangers que je vois me disent : « La France n'est donc plus la grande France, la généreuse, la juste France de jadis ? Que se passe-t-il donc chez vous ? » Et, humilié dans mon ardent patriotisme, attristé, confus, je ne sais que leur répondre :

Oui, hélas ! il y a quelque chose de changé chez nous, parce que la France est aujourd'hui gouvernée par une pourriture qui corrompt tout ce qu'elle touche. C'est qu'il n'y a plus ni conviction ni principes, mais seulement l'amour de l'argent et les intérêts électoraux.

Voilà où nous en sommes tombés. Quelle boue ! Il n'y a pas un homme de conscience à la Chambre. Non, pas un seul, car sans cela il eût compris son devoir et l'eût courageusement accompli, laissant hurler les imbéciles.

Ah ! si un Lamartine, un Louis Blanc ou un Victor Hugo eût été là, les choses se fussent passées autrement. Un Hugo n'eût pas laissé s'accomplir l'odieuse besogne sans faire entendre la grande voix de la justice, sans défendre le droit des gens. Il eût trouvé, dans son éloquence, des paroles généreuses qui eussent atteint leur but.

Et ces ministres, qui se sauvent par des mensonges adroits et qui trichent sur les mots, dans leur terreur de demain ! Il faut lire leurs discours entre les lignes. A dessein ils ont créé l'équivoque, avec l'espoir de se ménager une porte de sortie en cas d'accident. Il est impossible d'être à la fois plus sot, plus impudent et plus bête qu'eux.

Soutenir, par exemple, que l'affaire Esterhazy et l'affaire Dreyfus ne sont pas connexes, c'est d'une imbécillité monumentale, puisque Esterhazy est accusé d'être l'auteur d'un bordereau pour lequel Dreyfus a été condamné.

Le général Billot* et M. Méline* invoquant l'honneur de l'armée, me rappellent Rouher[1] agitant le spectre rouge.

Il suffisait que Rouher parlât du spectre rouge, sous l'Empire, pour que le Corps législatif se montrât docile. De même maintenant, quand on parle de « l'honneur de l'armée », les oppositions se taisent, il n'y a plus que des députés à plat ventre.

L'armée, aujourd'hui, c'est tout le monde, puisque tout Français est soldat. Attaquer l'armée, qu'est-ce que cela veut dire ? Ce sont là des mots vides de sens. Esterhazy, déféré au premier conseil de guerre, représente-t-il l'armée ? Et le général Billot se considère-t-il comme solidaire de cet individu qui, s'il n'est pas un traître, en a tout au moins l'étoffe ?

Pauvres gens ! Ils me feraient rire vraiment en toute autre circonstance. N'est-il pas comique de voir d'anciens révolutionnaires frappés par les conseils de guerre prétendre que les conseils de guerre sont infaillibles ?

Ah ! je les connais, les conseils de guerre ! Je les ai vus fonctionner en 1871.

A diverses reprises, je me suis efforcé de leur arracher des amis tombés entre leurs pattes. Je sais donc comment ils rendent leurs jugements. Eh bien ! cela dépasse tout ce qu'on peut imaginer.

---

1. Eugène Rouher, avocat, sénateur et plusieurs fois ministre, avait tenu un rôle prépondérant sous l'Empire qui lui avait valu d'être qualifié de « vice-Empereur ».

Non, il n'y a pas de tribunaux infaillibles, et, de très bonne foi, d'ailleurs, des juges militaires peuvent, plus que tous les autres, condamner un innocent.

Voilà ce que les bas politiciens ne veulent pas comprendre ; voilà pourquoi ils sont infâmes. Je ne trouve pas, voyez-vous, d'expression qui représente suffisamment le mépris et le dégoût qu'ils m'inspirent. Si vous en trouvez une, employez-la. Je vous en serai reconnaissant.

M. Zola s'est levé. Il me reconduit :

– Quelles peuvent être, d'après vous, les conséquences du vote d'hier ?

– Mais aucune, me répond-il en descendant l'escalier. Nos députés sont des pantins qui s'agitent dans le vide. Le vent emporte leurs paroles. Ils n'empêcheront pas plus la vérité de continuer sa route que les nuages dont le ciel est obscurci n'empêchent la clarté du jour d'arriver jusqu'à nous.

Et, dans l'entrebâillement de la porte vitrée qui donne sur le vestibule, M. Zola ajoute :

– Ces votes n'auront d'autre résultat que de donner une satisfaction momentanée à la presse immonde, à la presse affamée de scandales, chez laquelle le souci du tirage remplace les convictions, à la presse qui affole la France et travaille à sa décomposition[2].

---

2. Lors de la séance du 4 décembre, le président du Conseil Méline, à une question du député André Castelin, avait répondu cette phrase demeurée célèbre : « Il n'y a pas d'affaire Dreyfus. Il n'y a pas en ce moment et il ne peut y avoir d'affaire Dreyfus. » Le ministre de la Guerre Billot avait, en réponse à l'interpellation d'un autre député, Albert de Mun, répondu : « Pour moi, en mon âme et conscience, comme soldat, comme chef de l'armée, je considère le jugement comme bien rendu et je considère Dreyfus comme coupable. » Il avait ajouté combien il considérait comme « douloureux et pénible de lire des outrages semblables, de voir une campagne, que je ne saurais qualifier, poursuivie contre l'honneur national et contre l'honneur de l'armée » (*Journal officiel*, 5 décembre 1897, pp. 2734 et 2736). A la fin de la séance, par 308 voix contre 62, fut voté l'ordre du jour suivant : « La Chambre, respectueuse de l'autorité de la chose jugée et s'associant à l'hommage rendu à l'armée par le ministre de la Guerre, passe à l'ordre du jour » (*idem*, pp. 2740 et 2749). *Cf.* aussi la note 2 du texte suivant.

Lettre à la jeunesse

Où allez-vous, jeunes gens, où allez-vous, étudiants, qui courez en bandes par les rues, manifestant au nom de vos colères et de vos enthousiasmes, éprouvant l'impérieux besoin de jeter publiquement le cri de vos consciences indignées ?

Allez-vous protester contre quelque abus du pouvoir, a-t-on offensé le besoin de vérité et d'équité, brûlant encore dans vos âmes neuves, ignorantes des accommodements politiques et des lâchetés quotidiennes de la vie ?

Allez-vous redresser un tort social, mettre la protestation de votre vibrante jeunesse dans la balance inégale, où sont si faussement pesés le sort des heureux et celui des déshérités de ce monde ?

Allez-vous, pour affirmer la tolérance, l'indépendance de la race humaine, siffler quelque sectaire de l'intelligence, à la cervelle étroite, qui aura voulu ramener vos esprits libérés à l'erreur ancienne, en proclamant la banqueroute de la science ?

Allez-vous crier, sous la fenêtre de quelque personnage fuyant et hypocrite, votre foi invincible en l'avenir, en ce siècle prochain que vous apportez et qui doit réaliser la paix du monde, au nom de la justice et de l'amour ?

– Non, non ! nous allons huer un homme, un vieillard, qui, après une longue vie de travail et de loyauté, s'est imaginé qu'il pouvait impunément soutenir une cause généreuse, vouloir que la lumière se fît et qu'une erreur fût réparée, pour l'honneur même de la patrie française[1] !

Ah ! quand j'étais jeune moi-même, je l'ai vu, le Quartier Latin, tout frémissant des fières passions de la jeunesse, l'amour de la liberté, la haine de la force brutale, qui écrase les cerveaux

---

1. Scheurer-Kestner.

et comprime les âmes. Je l'ai vu, sous l'Empire, faisant son œuvre brave d'opposition, injuste même parfois, mais toujours dans un excès de libre émancipation humaine. Il sifflait les auteurs agréables aux Tuileries, il malmenait les professeurs dont l'enseignement lui semblait louche, il se levait contre quiconque se montrait pour les ténèbres et pour la tyrannie. En lui brûlait le foyer sacré de la belle folie des vingt ans, lorsque toutes les espérances sont des réalités, et que demain apparaît comme le sûr triomphe de la Cité parfaite.

Et, si l'on remontait plus haut, dans cette histoire des passions nobles, qui ont soulevé la jeunesse des Écoles, toujours on la verrait s'indigner sous l'injustice, frémir et se lever pour les humbles, les abandonnés, les persécutés, contre les féroces et les puissants. Elle a manifesté en faveur des peuples opprimés, elle a été pour la Pologne, pour la Grèce, elle a pris la défense de tous ceux qui souffraient, qui agonisaient sous la brutalité d'une foule ou d'un despote. Quand on disait que le Quartier Latin s'embrasait, on pouvait être certain qu'il y avait derrière quelque flambée de juvénile justice, insoucieuse des ménagements, faisant d'enthousiasme une œuvre du cœur. Et quelle spontanéité alors, quel fleuve débordé coulant par les rues !

Je sais bien qu'aujourd'hui encore le prétexte est la patrie menacée, la France livrée à l'ennemi vainqueur, par une bande de traîtres. Seulement, je le demande, où trouvera-t-on la claire intuition des choses, la sensation instinctive de ce qui est vrai, de ce qui est juste, si ce n'est dans ces âmes neuves, dans ces jeunes gens qui naissent à la vie publique, dont rien encore ne devrait obscurcir la raison droite et bonne ? Que les hommes politiques, gâtés par des années d'intrigues, que les journalistes, déséquilibrés par toutes les compromissions du métier, puissent accepter les plus impudents mensonges, se boucher les yeux à d'aveuglantes clartés, cela s'explique, se comprend. Mais elle, la jeunesse, elle est donc bien gangrenée déjà, pour que sa pureté, sa candeur naturelle, ne se reconnaisse pas d'un coup au milieu des inacceptables erreurs, et n'aille pas tout droit à ce qui est évident, à ce qui est limpide, d'une lumière honnête de plein jour !

Il n'est pas d'histoire plus simple. Un officier a été condamné, et personne ne songe à suspecter la bonne foi des juges. Ils l'ont frappé selon leur conscience, sur des preuves qu'ils ont crues certaines. Puis, un jour, il arrive qu'un homme, que plusieurs hommes ont des doutes, finissent par être convaincus qu'une des preuves, la plus importante, la seule du moins sur laquelle les juges se sont publiquement appuyés, a été faussement attribuée au condamné, que cette pièce est à n'en pas douter de la main d'un autre. Et ils le disent, et cet autre est dénoncé par le frère du prisonnier, dont le strict devoir était de le faire ; et voilà, forcément, qu'un nouveau procès commence, devant amener la révision du premier procès, s'il y a condamnation. Est-ce que tout cela n'est pas parfaitement clair, juste et raisonnable ? Où y a-t-il, là-dedans, une machination, un noir complot pour sauver un traître ? Le traître, on ne le nie pas, on veut seulement que ce soit un coupable et non un innocent qui expie le crime. Vous l'aurez toujours, votre traître, et il ne s'agit que de vous en donner un authentique.

Un peu de bon sens ne devrait-il pas suffire ? A quel mobile obéiraient donc les hommes qui poursuivent la révision du procès Dreyfus ? Écartez l'imbécile antisémitisme, dont la monomanie féroce voit là un complot juif, l'or juif s'efforçant de remplacer un juif par un chrétien, dans la geôle infâme. Cela ne tient pas debout, les invraisemblances et les impossibilités croulent les unes sur les autres, tout l'or de la terre n'achèterait pas certaines consciences. Et il faut bien en arriver à la réalité, qui est l'expansion naturelle, lente, invincible de toute erreur judiciaire. L'histoire est là. Une erreur judiciaire est une force en marche : des hommes de conscience sont conquis, sont hantés, se dévouent de plus en plus obstinément, risquent leur fortune et leur vie, jusqu'à ce que justice soit faite. Et il n'y a pas d'autre explication possible à ce qui se passe aujourd'hui, le reste n'est qu'abominables passions politiques et religieuses, que torrent débordé de calomnies et d'injures.

Mais quelle excuse aurait la jeunesse, si les idées d'humanité et de justice se trouvaient obscurcies un instant en elle ! Dans la séance du 4 décembre, une Chambre française s'est couverte de honte, en votant un ordre du jour « flétrissant les meneurs de la campagne odieuse qui trouble la conscience publique[2] ». Je le dis hautement, pour l'avenir qui me lira, j'espère, un tel vote est indigne de notre généreux pays, et il restera comme une tache ineffaçable. « Les meneurs », ce sont les hommes de conscience et de bravoure, qui, certains d'une erreur judiciaire, l'ont dénon-

---

2. Il s'agit de l'ordre du jour des députés nationalistes Richard (un ancien socialiste) et Habert qui fut adopté par 148 voix contre 73 (*Journal officiel*, 5 décembre 1897, pp. 2739 et 2748).

cée, pour que réparation fût faite, dans la conviction patriotique qu'une grande nation, où un innocent agoniserait parmi les tortures, serait une nation condamnée. « La campagne odieuse », c'est le cri de vérité, le cri de justice que ces hommes poussent, c'est l'obstination qu'ils mettent à vouloir que la France reste, devant les peuples qui la regardent, la France humaine, la France qui a fait la liberté et qui fera la justice. Et, vous le voyez bien, la Chambre a sûrement commis un crime, puisque voilà qu'elle a pourri jusqu'à la jeunesse de nos Écoles, et que voilà celle-ci trompée, égarée, lâchée au travers de nos rues, manifestant, ce qui ne s'était jamais vu encore, contre tout ce qu'il y a de plus fier, de plus brave, de plus divin dans l'âme humaine !

Après la séance du Sénat, le 7, on a parlé d'écroulement pour M. Scheurer-Kestner. Ah ! oui, quel écroulement, dans son cœur, dans son âme ! Je m'imagine son angoisse, son tourment, lorsqu'il voit s'effondrer autour de lui tout ce qu'il a aimé de notre République, tout ce qu'il a aidé à conquérir pour elle, dans le bon combat de sa vie, la liberté d'abord, puis les mâles vertus de la loyauté, de la franchise et du courage civique[3].

Il est un des derniers de sa forte génération. Sous l'Empire, il a su ce que c'était qu'un peuple soumis à l'autorité d'un seul, se dévorant de fièvre et d'impatience, la bouche brutalement bâillonnée, devant les dénis de justice. Il a vu nos défaites, le cœur saignant, il en a su les causes, toutes dues à l'aveuglement, à l'imbécillité despotiques. Plus tard, il a été de ceux qui ont travaillé le plus sagement, le plus ardemment, à relever le pays de ses décombres, à lui rendre son rang en Europe. Il date des

---

3. « L'Effondrement de Scheurer-Kestner », tel avait été le titre de *L'Intransigeant* du 9 décembre. Le 7, au Sénat, Scheurer-Kestner avait interpellé le président du Conseil et le ministre de la Guerre pour dire sa conviction et raconter quelles avaient été ses démarches. Le ministre de la Guerre intervint pour demander de songer « à l'armée, si patiente, si soumise, si patriote ! » et « à la France », et le président du Conseil, rappelant « l'autorité de la chose jugée », fustigea « ces campagnes de presse [qui] ont fait beaucoup de mal ». « Ce n'est pas impunément que l'on remue dans un pays comme le nôtre des questions qui touchent à la sécurité nationale, à l'honneur de l'armée. / Ce sont des choses sacrées qu'il faut mettre à l'abri de toute atteinte » (*Journal officiel*, 8 décembre 1897, pp. 1376 et 1377). A la suite, le Sénat vota par 226 voix contre 0 l'ordre du jour suivant : « Le Sénat, approuvant les déclarations du gouvernement, passe à l'ordre du jour » (*idem*, pp. 1380 et 1384).

temps héroïques de notre France républicaine, et je m'imagine qu'il pouvait croire avoir fait une œuvre bonne et solide, le despotisme chassé à jamais, la liberté conquise, j'entends surtout cette liberté humaine qui permet à chaque conscience d'affirmer son devoir, au milieu de la tolérance des autres opinions.

Ah bien, oui ! Tout a pu être conquis, mais tout est par terre une fois encore. Il n'a autour de lui, en lui, que des ruines. Avoir été en proie au besoin de vérité est un crime. Avoir voulu la justice, est un crime. L'affreux despotisme est revenu, le plus dur des bâillons est de nouveau sur les bouches. Ce n'est pas la botte d'un César qui écrase la conscience publique, c'est toute une Chambre qui flétrit ceux que la passion du juste embrase. Défense de parler ! les poings écrasent les lèvres de ceux qui ont la vérité à défendre, on ameute les foules pour qu'elles réduisent les isolés au silence. Jamais une si monstrueuse oppression n'a été organisée, utilisée contre la discussion libre. Et la honteuse terreur règne, les plus braves deviennent lâches, personne n'ose plus dire ce qu'il pense, dans la peur d'être dénoncé comme vendu et traître. Les quelques journaux restés honnêtes sont à plat ventre devant leurs lecteurs, qu'on a fini par affoler avec de sottes histoires. Et aucun peuple, je crois, n'a traversé une heure plus trouble, plus boueuse, plus angoissante pour sa raison et pour sa dignité.

Alors, c'est vrai, tout le loyal et grand passé a dû s'écrouler chez M. Scheurer-Kestner. S'il croit encore à la bonté et à l'équité des hommes, c'est qu'il est d'un solide optimisme. On l'a traîné quotidiennement dans la boue, depuis trois semaines, pour avoir compromis l'honneur et la joie de sa vieillesse, à vouloir être juste. Il n'est point de plus douloureuse détresse, chez l'honnête homme, que de souffrir le martyre de son honnêteté. On assassine chez cet homme la foi en demain, on empoisonne son espoir ; et, s'il meurt, il dit : « C'est fini, il n'y a plus rien, tout ce que j'ai fait de bon s'en va avec moi, la vertu n'est qu'un mot, le monde est noir et vide ! »

Et, pour souffleter le patriotisme, on est allé choisir cet homme, qui est, dans nos Assemblées, le dernier représentant de l'Alsace-Lorraine ! Lui, un vendu, un traître, un insulteur de l'armée, lorsque son nom aurait dû suffire pour rassurer les inquiétudes les plus ombrageuses ! Sans doute, il avait eu la naïveté de croire que sa qualité d'Alsacien, son renom de patriote ardent seraient la garantie même de sa bonne foi, dans son rôle délicat de justicier. S'il s'occupait de cette affaire, n'était-ce pas dire que la conclusion prompte lui en semblait nécessaire à l'honneur de l'armée, à l'honneur de la patrie ? Laissez-la traîner des semaines encore, tâchez d'étouffer la vérité, de vous refuser à la justice, et vous verrez bien si vous ne nous avez pas donnés en risée à toute l'Europe, si vous n'avez pas mis la France au dernier rang des nations !

Non, non ! les stupides passions politiques et religieuses ne veulent rien entendre, et la jeunesse de nos Écoles donne au monde ce spectacle d'aller huer M. Scheurer-Kestner, le traître, le vendu, qui insulte l'armée et qui compromet la patrie !

Je sais bien que les quelques jeunes gens qui manifestent ne sont pas toute la jeunesse, et qu'une centaine de tapageurs, dans la rue, font plus de bruit que dix mille travailleurs, studieusement enfermés chez eux. Mais les cent tapageurs ne sont-ils pas déjà de trop, et quel symptôme affligeant qu'un pareil mouvement, si restreint qu'il soit, puisse à cette heure se produire au Quartier Latin !

Des jeunes gens antisémites, ça existe donc, cela ? Il y a donc des cerveaux neufs, des âmes neuves, que cet imbécile poison a déjà déséquilibrés ? Quelle tristesse, quelle inquiétude pour le XXe siècle qui va s'ouvrir ! Cent ans après la Déclaration des droits de l'homme, cent ans après l'acte suprême de tolérance et d'émancipation, on en revient aux guerres de religion, au plus odieux et au plus sot des fanatismes ! Et encore cela se comprend chez certains hommes qui jouent leur rôle, qui ont une attitude à garder et une ambition vorace à satisfaire. Mais, chez des jeunes gens, chez ceux qui naissent et qui poussent pour cet épanouissement de tous les droits et de toutes les libertés, dont nous avons rêvé que resplendirait le prochain siècle ! Ils sont les ouvriers attendus, et voilà déjà qu'ils se déclarent antisémites, c'est-à-dire qu'ils commenceront le siècle en massacrant tous les juifs, parce que ce sont des concitoyens d'une autre race et d'une autre foi ! Une belle entrée en jouissance, pour la Cité de nos rêves, la Cité d'égalité et de fraternité ! Si la jeunesse en était vraiment là, ce serait à sangloter, à nier tout espoir et tout bonheur humain.

Ô jeunesse, jeunesse ! je t'en supplie, songe à la grande besogne qui t'attend. Tu es l'ouvrière future, tu vas jeter les assises de ce siècle prochain, qui, nous en avons la foi profonde, résoudra les problèmes de vérité et d'équité, posés par le siècle finissant. Nous, les vieux, les aînés, nous te laissons le formidable amas de notre enquête, beaucoup de contradictions et d'obscurités peut-être, mais à coup sûr l'effort le plus passionné que jamais siècle ait fait vers la lumière, les documents les plus honnêtes et les plus solides, les fondements mêmes de ce vaste édifice de la science que tu dois continuer à bâtir pour ton honneur et pour ton bonheur. Et nous ne te demandons que d'être encore plus généreuse, plus libre d'esprit, de nous dépasser par ton amour de la vie normalement vécue, par ton effort mis entier dans le travail, cette fécondité des hommes et de la terre qui saura bien faire enfin pousser la débordante moisson de joie, sous l'éclatant soleil. Et nous te céderons fraternellement la place, heureux de disparaître et de nous reposer de notre part de tâche accomplie, dans le bon sommeil de la mort, si nous savons que tu nous continues et que tu réalises nos rêves.

Jeunesse, jeunesse ! souviens-toi des souffrances que tes pères ont endurées, des terribles batailles où ils ont dû vaincre, pour conquérir la liberté dont tu jouis à cette heure. Si tu te sens indépendante, si tu peux aller et venir à ton gré, dire dans la presse ce que tu penses, avoir une opinion et l'exprimer publiquement, c'est que tes pères ont donné de leur intelligence et de leur sang. Tu n'es pas née sous la tyrannie, tu ignores ce que c'est que de se réveiller chaque matin avec la botte d'un maître sur la poitrine, tu ne t'es pas battue pour échapper au sabre du dictateur, aux poids faux du mauvais juge. Remercie tes pères, et ne commets pas le crime d'acclamer le mensonge, de faire campagne avec la force brutale, l'intolérance des fanatiques et la voracité des ambitieux. La dictature est au bout.

Jeunesse, jeunesse ! sois toujours avec la justice. Si l'idée de justice s'obscurcissait en toi, tu irais à tous les périls. Et je ne te parle pas de la justice de nos Codes, qui n'est que la garantie des liens sociaux. Certes, il faut la respecter, mais il est une notion plus haute, la justice, celle qui pose en principe que tout jugement des hommes est faillible et qui admet l'innocence possible d'un condamné, sans croire insulter les juges. N'est-ce donc pas là une aventure qui doive soulever ton enflammée passion du droit ? Qui se lèvera pour exiger que justice soit faite, si ce n'est toi qui n'es pas dans nos luttes d'intérêts et de personnes, qui n'es encore engagée ni compromise dans aucune affaire louche, qui peux parler haut, en toute pureté et en toute bonne foi ?

Jeunesse, jeunesse ! sois humaine, sois généreuse. Si même

nous nous trompons, sois avec nous, lorsque nous disons qu'un innocent subit une peine effroyable, et que notre cœur révolté s'en brise d'angoisse. Que l'on admette un seul instant l'erreur possible, en face d'un châtiment à ce point démesuré, et la poitrine se serre, les larmes coulent des yeux. Certes, les gardes-chiourme restent insensibles, mais toi, toi, qui pleures encore, qui dois être acquise à toutes les misères, à toutes les pitiés ! Comment ne fais-tu pas ce rêve chevaleresque, s'il est quelque part un martyr succombant sous la haine, de défendre sa cause et de le délivrer ? Qui donc, si ce n'est toi, tentera la sublime aventure, se lancera dans une cause dangereuse et superbe, tiendra tête à un peuple, au nom de l'idéale justice ? Et n'es-tu pas honteuse, enfin, que ce soient des aînés, des vieux, qui se passionnent, qui fassent aujourd'hui ta besogne de généreuse folie ?

Où allez-vous, jeunes gens, où allez-vous, étudiants, qui battez les rues, manifestant, jetant au milieu de nos discordes la bravoure et l'espoir de vos vingt ans ?

– Nous allons à l'humanité, à la vérité, à la justice !

Lettre à la France

Dans les affreux jours de trouble moral que nous traversons, au moment où la conscience publique paraît s'obscurcir, c'est à toi que je m'adresse, France, à la nation, à la patrie !

Chaque matin, en lisant dans les journaux ce que tu sembles penser de cette lamentable affaire Dreyfus, ma stupeur grandit, ma raison se révolte davantage. Eh quoi ? France, c'est toi qui en es là, à te faire une conviction des plus évidents mensonges, à te mettre contre quelques honnêtes gens avec la tourbe des malfaiteurs, à t'affoler sous l'imbécile prétexte que l'on insulte ton armée et que l'on complote de te vendre à l'ennemi, lorsque le désir des plus sages, des plus loyaux de tes enfants, est au contraire que tu restes, aux yeux de l'Europe attentive, la nation d'honneur, la nation d'humanité, de vérité et de justice ?

Et c'est vrai, la grande masse en est là, surtout la masse des petits et des humbles, le peuple des villes, presque toute la province et toutes les campagnes, cette majorité considérable de ceux qui acceptent l'opinion des journaux ou des voisins, qui n'ont le moyen ni de se documenter, ni de réfléchir. Que s'est-il donc passé, comment ton peuple, France, ton peuple de bon cœur et de bon sens, a-t-il pu en venir à cette férocité de la peur, à ces ténèbres de l'intolérance ? On lui dit qu'il y a, dans la pire des tortures, un homme peut-être innocent, on a des preuves matérielles et morales que la révision du procès s'impose, et voilà ton peuple qui refuse violemment la lumière, qui se range derrière les sectaires et les bandits, derrière les gens dont l'intérêt est de laisser en terre le cadavre, lui qui, naguère encore, aurait démoli de nouveau la Bastille, pour en tirer un prisonnier !

Quelle angoisse et quelle tristesse, France, dans l'âme de ceux qui t'aiment, qui veulent ton honneur et ta grandeur ! Je me penche avec détresse sur cette mer trouble et démontée de ton peuple, je me demande où sont les causes de la tempête qui menace d'emporter le meilleur de ta gloire. Rien n'est d'une plus mortelle gravité, je vois là d'inquiétants symptômes. Et j'oserai tout dire, car je n'ai jamais eu qu'une passion dans ma vie, la vérité, et je ne fais ici que continuer mon œuvre.

Songes-tu que le danger est justement dans ces ténèbres têtues de l'opinion publique ? Cent journaux répètent quotidiennement que l'opinion publique ne veut pas que Dreyfus soit innocent, que sa culpabilité est nécessaire au salut de la patrie. Et sens-tu à quel point tu serais la coupable, si l'on s'autorisait d'un tel sophisme, en haut lieu, pour étouffer la vérité ? C'est la France qui l'aurait voulu, c'est toi qui aurais exigé le crime, et quelle responsabilité un jour ! Aussi, ceux de tes fils qui t'aiment et t'honorent, France, n'ont-ils qu'un devoir ardent, à cette heure grave, celui d'agir puissamment sur l'opinion, de l'éclairer, de la ramener, de la sauver de l'erreur où d'aveugles passions la poussent. Et il n'est pas de plus utile, de plus sainte besogne.

Ah ! oui, de toute ma force, je leur parlerai, aux petits, aux humbles, à ceux qu'on empoisonne et qu'on fait délirer. Je ne me donne pas d'autre mission, je leur crierai où est vraiment l'âme de la patrie, son énergie invincible et son triomphe certain.

Voyez où en sont les choses. Un nouveau pas vient d'être fait, le commandant Esterhazy est déféré à un conseil de guerre. Comme je l'ai dit dès le premier jour, la vérité est en marche, et rien ne l'arrêtera. Malgré les mauvais vouloirs, chaque pas en avant se fait, mathématiquement, à son heure. La vérité a en elle une puissance qui emporte tous les obstacles. Et, lorsqu'on lui barre le chemin, qu'on réussit à l'enfermer plus ou moins longtemps sous terre, elle s'y amasse, elle y prend une violence telle d'explosion, que, le jour où elle éclate, elle fait tout sauter avec elle. Essayez, cette fois, de la murer pendant quelques mois encore sous des mensonges ou dans un huis clos, et vous verrez bien si vous ne préparez pas, pour plus tard, le plus retentissant des désastres.

Mais, à mesure que la vérité avance, les mensonges s'entassent, pour nier qu'elle marche. Rien de plus significatif. Lorsque le général de Pellieux, chargé de l'enquête préalable, déposa son rapport, concluant à la culpabilité possible du commandant Esterhazy, la presse immonde inventa que, sur la volonté seule de ce dernier, le général Saussier hésitant, convaincu de son innocence, voulait bien, pour lui faire plaisir, le déférer à la justice militaire. Aujourd'hui, c'est mieux encore, les journaux racontent que, trois experts ayant de nouveau reconnu le bordereau comme l'œuvre certaine de Dreyfus, le commandant

Ravary*, dans son information judiciaire, avait abouti à la nécessité d'un non-lieu, et que, si le commandant Esterhazy allait passer devant un conseil de guerre, c'était qu'il avait forcé de nouveau la main au général Saussier, exigeant quand même des juges.

Cela n'est-il pas d'un comique intense et d'une parfaite bêtise ! Voyez-vous cet accusé menant l'affaire, dictant les arrêts ? Voyez-vous un homme reconnu innocent, à la suite de deux enquêtes, et pour lequel on se donne le gros souci de réunir un tribunal, dans le seul but d'une comédie décorative, une sorte d'apothéose judiciaire ? Ce serait simplement se moquer de la justice, du moment où l'on affirme que l'acquittement est certain, car la justice n'est pas faite pour juger les innocents, et il faut tout au moins que le jugement ne soit pas rédigé dans la coulisse, avant l'ouverture des débats. Puisque le commandant Esterhazy est déféré à un conseil de guerre, espérons, pour notre honneur national, que c'est là chose sérieuse, et non pas simple parade, destinée à l'amusement des badauds. Ma pauvre France, on te croit donc bien sotte, qu'on te raconte de pareilles histoires à dormir debout ?

Et, de même, tout n'est que mensonge, dans les informations que la presse immonde publie et qui devraient suffire à t'ouvrir les yeux. Pour ma part, je me refuse formellement à croire aux trois experts qui n'auraient pas reconnu, du premier coup d'œil, l'identité absolue entre l'écriture du commandant Esterhazy et celle du bordereau. Prenez dans la rue le petit enfant qui passe, faites-le monter, posez devant lui les deux pièces, et il répondra : « C'est le même monsieur qui a écrit les deux pages. » Il n'y a pas besoin d'experts, n'importe qui suffit, la ressemblance de certains mots crève les yeux. Et cela est si vrai, que le commandant a reconnu cette ressemblance effrayante, et que, pour l'expliquer, il prétend qu'on a décalqué plusieurs de ses lettres, toute une histoire d'une complication laborieuse, parfaitement puérile d'ailleurs, dont la presse s'est occupée pendant des semaines [1]. Et l'on vient nous dire qu'on a trouvé trois experts, pour déclarer

_____

1. *Cf.* son interview, citée (p. 33, acte 3), à *L'Écho de Paris* : « Jugez de ma surprise, de mon épouvantement, lorsque je vis, d'après un fac-similé du bordereau, que l'écriture de l'ex-capitaine Dreyfus ressemblait à la mienne. / Or ce bordereau avait été écrit sur du papier à décalque. / Je compris tout. / Pour retrouver tous les mots contenus dans le bordereau, il avait fallu des pages entières de ma main, reprendre lettre par lettre et se livrer au plus sinistre des jeux de patience » (19 novembre).

encore que le bordereau est bien de la main de Dreyfus[2] ! Ah, non ! c'est trop, tant d'aplomb devient maladroit, les honnêtes gens vont finir par se fâcher, j'espère !

Certains journaux poussent les choses jusqu'à dire que le bordereau sera écarté, qu'il n'en sera pas même question devant le tribunal. Alors, de quoi sera-t-il question, et pourquoi le tribunal siégera-t-il ? Tout le nœud de l'affaire est là : si Dreyfus a été condamné sur une pièce écrite par un autre et qui suffise à faire condamner cet autre, la révision s'impose avec une logique irrésistible, car il ne peut y avoir deux coupables condamnés pour le même crime. Mᵉ Demange* l'a répété formellement, on ne lui a communiqué que le bordereau, Dreyfus n'a été légalement condamné que sur le bordereau ; et, en admettant même qu'au mépris de toute légalité des pièces tenues secrètes existent, ce que personnellement je ne puis croire, qui oserait se refuser à la révision, lorsqu'il serait prouvé que le bordereau, la pièce seule connue, avouée, est de la main d'un autre ? Et c'est pourquoi on accumule tant de mensonges autour du bordereau, qui est en somme toute l'affaire.

Voilà donc un premier point à noter : l'opinion publique est faite en grande partie de ces mensonges, de ces histoires extraordinaires et stupides, que la presse répand chaque matin. L'heure des responsabilités viendra, et il faudra régler le compte de cette presse immonde, qui nous déshonore aux yeux du monde entier. Certains journaux sont là dans leur rôle, ils n'ont jamais charrié que de la boue. Mais, parmi eux, quel étonnement, quelle tristesse, de trouver, par exemple, une feuille comme *L'Écho de Paris*, cette feuille littéraire, si souvent à l'avant-garde des idées, et qui fait, dans cette affaire Dreyfus, une si fâcheuse besogne ! Les notes d'une violence, d'un parti pris scandaleux, ne sont pas signées. On les dit inspirées par ceux-là mêmes qui ont eu la désastreuse maladresse de faire condamner Dreyfus. M. Valentin Simond se doute-t-il qu'elles couvrent son journal d'opprobre ? Et il est un autre journal dont l'attitude devrait soulever la conscience de tous les honnêtes gens, je veux parler du *Petit Journal**. Que les feuilles de tolérance tirant à quelques milliers d'exemplaires hurlent et mentent pour forcer leur tirage, cela se com-

---

2. En fait, s'ils le laissaient penser en dégageant Esterhazy, ils se gardèrent bien d'affirmer cela, ne citant pas une seule fois le nom de Dreyfus. Couard, Belhomme et Varinard, les trois experts, se contentèrent, reconnaissant l'indiscutable et absolue identité d'écriture entre le bordereau et les spécimens d'écriture d'Esterhazy, d'affirmer que le « ulhan » était innocent et que son écriture avait été calquée.

prend, cela ne fait d'ailleurs qu'un mal restreint. Mais que le *Petit Journal*, tirant à plus d'un million d'exemplaires, s'adressant aux humbles, pénétrant partout, sème l'erreur, égare l'opinion, cela est d'une exceptionnelle gravité[3]. Quand on a une telle charge d'âmes, quand on est le pasteur de tout un peuple, il faut être d'une probité intellectuelle scrupuleuse, sous peine de tomber au crime civique.

Et voilà donc, France, ce que je trouve d'abord, dans la démence qui t'emporte : les mensonges de la presse, le régime de contes ineptes, de basses injures, de perversions morales, auquel elle te met chaque matin. Comment pourrais-tu vouloir la vérité et la justice, lorsqu'on détraque à ce point toutes tes vertus légendaires, la clarté de ton intelligence et la solidité de ta raison ?

Mais il est des faits plus graves encore, tout un ensemble de symptômes qui font, de la crise que tu traverses, un cas d'une leçon terrifiante, pour ceux qui savent voir et juger. L'affaire Dreyfus n'est qu'un incident déplorable. L'aveu terrible est la façon dont tu te comportes dans l'aventure. On a l'air bien portant, et tout d'un coup de petites taches apparaissent sur la peau : la mort est en vous. Tout ton empoisonnement politique et social vient de te monter à la face.

Pourquoi donc as-tu laissé crier, as-tu fini par crier toi-même, qu'on insultait ton armée, lorsque d'ardents patriotes ne voulaient au contraire que sa dignité et son honneur ? Ton armée, mais, aujourd'hui, c'est toi tout entière ; ce n'est pas tel chef, tel corps d'officiers, telle hiérarchie galonnée, ce sont tous tes enfants, prêts à défendre la terre française. Fais ton examen de conscience : était-ce vraiment ton armée que tu voulais défendre quand personne ne l'attaquait ? N'était-ce pas plutôt le sabre que tu avais le brusque besoin d'acclamer ? Je vois, pour mon compte, dans la bruyante ovation faite aux chefs qu'on disait insultés, un réveil, inconscient sans doute, du boulangisme latent, dont tu restes atteinte. Au fond, tu n'as pas encore le sang républicain, les panaches qui passent te font battre le cœur, un roi ne peut venir sans que tu en tombes amoureuse. Ton armée, ah bien ! oui, tu n'y songes guère ! C'est le général que tu veux dans ta couche. Et que l'affaire Dreyfus est loin ! Pendant que le général Billot se faisait acclamer à la Chambre, je voyais l'ombre du sabre

---

3. *Le Petit Journal* allait bientôt attaquer Zola avec une rare violence.

se dessiner sur la muraille. France, si tu ne te méfies, tu vas à la dictature.

Et sais-tu encore où tu vas, France ? Tu vas à l'Église, tu retournes au passé, à ce passé d'intolérance et de théocratie, que les plus illustres de tes enfants ont combattu, ont cru tuer, en donnant leur intelligence et leur sang. Aujourd'hui, la tactique de l'antisémitisme est bien simple. Vainement le catholicisme s'efforçait d'agir sur le peuple, créait des cercles d'ouvriers, multipliait les pèlerinages, échouait à le reconquérir, à le ramener au pied des autels. C'était chose définitive, les églises restaient désertes, le peuple ne croyait plus. Et voilà que des circonstances ont permis de souffler au peuple la rage antisémite, on l'empoisonne de ce fanatisme, on le lance dans les rues, criant : « A bas les juifs ! à mort les juifs ! » Quel triomphe, si l'on pouvait déchaîner une guerre religieuse ! Certes, le peuple ne croit toujours pas ; mais, n'est-ce pas le commencement de la croyance, que de recommencer l'intolérance du moyen âge, que de faire brûler les juifs en place publique ? Enfin, voilà donc le poison trouvé ; et, quand on aura fait du peuple de France un fanatique et un bourreau, quand on lui aura arraché du cœur sa générosité, son amour des droits de l'homme, si durement conquis, Dieu fera sans doute le reste.

On a l'audace de nier la réaction cléricale. Mais elle est partout, elle éclate dans la politique, dans les arts, dans la presse, dans la rue ! On persécute aujourd'hui les juifs, ce sera demain le tour des protestants ; et déjà la campagne commence. La République est envahie par les réactionnaires de tous genres, ils l'adorent d'un brusque et terrible amour, ils l'embrassent pour l'étouffer. De tous côtés, on entend dire que l'idée de liberté fait banqueroute. Et, lorsque l'affaire Dreyfus s'est produite, cette haine croissante de la liberté a trouvé là une occasion extraordinaire, les passions se sont mises à flamber, même chez les inconscients. Ne voyez-vous pas que, si l'on s'est rué sur M. Scheurer-Kestner avec cette fureur, c'est qu'il est d'une génération qui a cru à la liberté, qui a voulu la liberté ? Aujourd'hui, on hausse les épaules, on se moque : de vieilles barbes, des bonshommes démodés. Sa défaite consommerait la ruine des fondateurs de la République, de ceux qui sont morts, de ceux qu'on a essayé d'enterrer dans la boue. Ils ont abattu le sabre, ils sont sortis de l'Église, et voilà pourquoi ce grand honnête homme de Scheurer-Kestner est aujourd'hui un bandit. Il faut le noyer sous la honte, pour que la République elle-même soit salie et emportée.

Puis, voilà, d'autre part, que cette affaire Dreyfus étale au plein jour la louche cuisine du parlementarisme, ce qui le souille et le tuera. Elle tombe, fâcheusement pour elle, à la fin d'une législature, lorsqu'il n'y a plus que trois ou quatre mois pour sophistiquer la législature prochaine. Le ministère au pouvoir veut naturellement faire les élections, et les députés veulent avec autant d'énergie se faire réélire. Alors, plutôt que de lâcher les portefeuilles, plutôt que de compromettre les chances d'élection, tous sont résolus aux actes extrêmes. Le naufragé ne s'attache pas plus étroitement à sa planche de salut. Et tout est là, tout s'explique : d'une part, l'attitude extraordinaire du ministère dans l'affaire Dreyfus, son silence, son embarras, la mauvaise action qu'il commet en laissant le pays agoniser sous l'imposture, lorsqu'il avait charge de faire lui-même la vérité ; d'autre part, le désintéressement si peu brave des députés, qui affectent de ne rien savoir, qui ont l'unique peur de compromettre leur réélection, en s'aliénant le peuple qu'ils croient antisémite. On vous le dit couramment : « Ah ! si les élections étaient faites, vous verriez le gouvernement et le Parlement régler la question Dreyfus en vingt-quatre heures ! » Et voilà ce que la basse cuisine du parlementarisme fait d'un grand peuple !

France, c'est donc de cela encore que ton opinion est faite, du besoin du sabre, de la réaction cléricale qui te ramène de plusieurs siècles en arrière, de l'ambition vorace de ceux qui te gouvernent, qui te mangent et qui ne veulent pas sortir de table !

Je t'en conjure, France, sois encore la grande France, reviens à toi, retrouve-toi.

Deux aventures néfastes sont l'œuvre unique de l'antisémitisme : le Panama et l'affaire Dreyfus. Qu'on se souvienne par quelles délations, par quels abominables commérages, par quelles publications de pièces fausses ou volées, la presse immonde a fait du Panama un ulcère affreux qui a rongé et débilité le pays pendant des années. Elle avait affolé l'opinion ; toute la nation pervertie, ivre du poison, voyait rouge, exigeait des comptes, demandait l'exécution en masse du Parlement, puisqu'il était pourri. Ah, si Arton[4] revenait, s'il parlait ! Il est revenu, il a parlé, et tous les mensonges de la presse immonde se sont écroulés, à ce point même, que l'opinion, brusquement retournée, n'a plus voulu soupçonner un seul coupable, a exigé l'acquittement

_____

4. Émile Arton, qui fut mêlé à l'affaire de Panama.

en masse. Certes, je m'imagine que toutes les consciences n'étaient pas très pures, car il s'était passé là ce qui se passe dans tous les Parlements du monde, lorsque de grandes entreprises remuent des millions. Mais l'opinion était prise à la fin de la nausée de l'ignoble, on avait trop sali de gens, on lui en avait trop dénoncé, elle éprouvait l'impérieux besoin de se laver d'air pur et de croire à l'innocence de tous.

Eh bien ! je le prédis, c'est ce qui se passera pour l'affaire Dreyfus, l'autre crime social de l'antisémitisme. De nouveau, la presse immonde sature trop l'opinion de mensonges et d'infamies. Elle veut trop que les honnêtes gens soient des gredins, que les gredins soient des honnêtes gens. Elle lance trop d'histoires imbéciles, auxquelles les enfants eux-mêmes finissent par ne plus croire. Elle s'attire trop de démentis, elle va trop contre le bon sens et contre la simple probité. Et c'est fatal, l'opinion finira par se révolter un de ces beaux matins, dans un brusque haut-le-cœur, quand on l'aura trop nourrie de fange. Et, comme pour le Panama, vous la verrez, pour l'affaire Dreyfus, peser de tout son poids, vouloir qu'il n'y ait plus de traîtres, exiger la vérité et la justice, dans une explosion de générosité souveraine. Ainsi sera jugé et condamné l'antisémitisme, sur ses œuvres, les deux mortelles aventures où le pays a laissé de sa dignité et de sa santé.

C'est pourquoi, France, je t'en supplie, reviens à toi, retrouve-toi, sans attendre davantage. La vérité, on peut te la dire, puisque la justice est régulièrement saisie et qu'il faut bien croire qu'elle est décidée à la faire. Les juges seuls ont la parole, le devoir de parler ne s'imposerait que s'ils ne faisaient pas la vérité tout entière. Mais, cette vérité, qui est si simple, une erreur d'abord, puis toutes les fautes pour la cacher, ne la soupçonnes-tu donc pas ? Les faits ont parlé si clairement, chaque phase de l'enquête a été un aveu : le commandant Esterhazy couvert d'inexplicables protections, le colonel Picquart traité en coupable, abreuvé d'outrages[5], les ministres jouant sur les mots, les journaux officieux mentant avec violence, l'instruction première menée comme à tâtons, d'une désespérante lenteur. Ne trouves-tu pas que cela sent mauvais, que cela sent le cadavre, et qu'il faut vraiment qu'on ait bien des choses à cacher, pour

5. Après ce qu'avait dit Esterhazy à Adolphe Possien de *L'Écho de Paris*. Il accusait Picquart « d'avoir cédé aux prières du syndicat et de s'être laissé circonvenir par lui. Il fut le complice du guet-apens dans lequel j'ai été englobé. Sans lui, aucune puissance humaine n'eût pu mettre mon honorabilité en cause » (« L'Affaire Dreyfus », *L'Écho de Paris*, 19 novembre 1897).

qu'on se laisse ainsi défendre ouvertement par toute la fripouille de Paris, lorsque ce sont des honnêtes gens qui demandent la lumière, au prix de leur tranquillité ?

France, réveille-toi, songe à ta gloire. Comment est-il possible que ta bourgeoisie libérale, que ton peuple émancipé, ne voient pas, dans cette crise, à quelle aberration on les jette ? Je ne puis les croire complices, ils sont dupes alors, puisqu'ils ne se rendent pas compte de ce qu'il y a derrière : d'une part la dictature militaire, de l'autre la réaction cléricale. Est-ce cela que tu veux, France, la mise en péril de tout ce que tu as si chèrement payé, la tolérance religieuse, la justice égale pour tous, la solidarité fraternelle de tous les citoyens ? Il suffit qu'il y ait des doutes sur la culpabilité de Dreyfus, et que tu le laisses à sa torture, pour que ta glorieuse conquête du droit et de la liberté soit à jamais compromise. Quoi ! nous resterons à peine une poignée à dire ces choses, tous tes enfants honnêtes ne se lèveront pas pour être avec nous, tous les libres esprits, tous les cœurs larges qui ont fondé la République et qui devraient trembler de la voir en péril !

C'est à ceux-là, France, que je fais appel. Qu'ils se groupent, qu'ils écrivent, qu'ils parlent ! Qu'ils travaillent avec nous à éclairer l'opinion, les petits, les humbles, ceux qu'on empoisonne et qu'on fait délirer ! L'âme de la patrie, son énergie, son triomphe ne sont que dans l'équité et la générosité.

Ma seule inquiétude est que la lumière ne soit pas faite tout entière et tout de suite. Après une instruction secrète, un jugement à huis clos ne terminerait rien. Alors seulement l'affaire commencerait, car il faudrait bien parler, puisque se taire serait se rendre complice. Quelle folie de croire qu'on peut empêcher l'histoire d'être écrite ! Elle sera écrite, cette histoire, et il n'est pas une responsabilité, si mince soit-elle, qui ne se payera.

Et ce sera pour ta gloire finale, France, car je suis sans crainte au fond, je sais qu'on aura beau attenter à ta raison et à ta santé, tu es quand même l'avenir, tu auras toujours des réveils triomphants de vérité et de justice !

J'accuse !...
Lettre à M. Félix Faure
Président de la République

MONSIEUR LE PRÉSIDENT,

Me permettez-vous, dans ma gratitude pour le bienveillant accueil que vous m'avez fait un jour[1], d'avoir le souci de votre juste gloire et de vous dire que votre étoile, si heureuse jusqu'ici, est menacée de la plus honteuse, de la plus ineffaçable des taches ?

Vous êtes sorti sain et sauf des basses calomnies[2], vous avez conquis les cœurs. Vous apparaissez rayonnant dans l'apothéose de cette fête patriotique que l'alliance russe a été pour la France, et vous vous préparez à présider au solennel triomphe de notre Exposition universelle, qui couronnera notre grand siècle de travail, de vérité et de liberté[3]. Mais quelle tache de boue sur votre nom – j'allais dire sur votre règne – que cette abominable affaire Dreyfus ! Un conseil de guerre vient, par ordre, d'oser acquitter un Esterhazy[4], soufflet suprême à toute vérité, à toute justice. Et c'est fini, la France a sur la joue cette souillure, l'histoire écrira que c'est sous votre présidence qu'un tel crime social a pu être commis.

Puisqu'ils ont osé, j'oserai aussi, moi. La vérité, je la dirai, car j'ai promis de la dire, si la justice, régulièrement saisie, ne la faisait pas, pleine et entière. Mon devoir est de parler, je ne veux pas être complice. Mes nuits seraient hantées par le spectre

---

1. Il lui avait rendu visite un an plus tôt, en février 1897, pour aider Charpentier, son éditeur, à obtenir la Légion d'honneur.
2. En décembre 1895, dans sa *Libre Parole*, Drumont avait attaqué le président de la République à travers son beau-père, condamné vingt ans plus tôt pour avoir volé l'argent de l'étude dans laquelle il travaillait. Zola l'avait défendu dans *Le Figaro* du 24 décembre 1895 (« La Vertu de la République »).
3. Elle sera inaugurée le 14 avril 1900.
4. Le 11 janvier.

de l'innocent qui expie là-bas, dans la plus affreuse des tortures, un crime qu'il n'a pas commis.

Et c'est à vous, monsieur le Président, que je la crierai, cette vérité, de toute la force de ma révolte d'honnête homme. Pour votre honneur, je suis convaincu que vous l'ignorez. Et à qui donc dénoncerai-je la tourbe malfaisante des vrais coupables, si ce n'est à vous, le premier magistrat du pays ?

La vérité d'abord sur le procès et sur la condamnation de Dreyfus.

Un homme néfaste a tout mené, a tout fait, c'est le lieutenant-colonel du Paty de Clam*, alors simple commandant. Il est l'affaire Dreyfus tout entière ; on ne la connaîtra que lorsqu'une enquête loyale aura établi nettement ses actes et ses responsabilités. Il apparaît comme l'esprit le plus fumeux, le plus compliqué, hanté d'intrigues romanesques, se complaisant aux moyens des romans-feuilletons, les papiers volés, les lettres anonymes, les rendez-vous dans les endroits déserts, les femmes mystérieuses qui colportent, de nuit, des preuves accablantes[5]. C'est lui qui imagina de dicter le bordereau à Dreyfus[6] ; c'est lui qui rêva de l'étudier dans une pièce entièrement revêtue de glaces ; c'est lui que le commandant Forzinetti nous représente armé d'une lanterne sourde, voulant se faire introduire près de l'accusé endormi, pour projeter sur son visage un brusque flot de lumière et surprendre ainsi son crime, dans l'émoi du réveil[7]. Et je n'ai

---

5. La fameuse dame voilée à laquelle Esterhazy avait fait allusion le 31 octobre et le 5 novembre dans deux lettres au président Félix Faure et dont il avait été question dans la presse à partir de mi-novembre. Cette « généreuse femme », selon la légende qu'il avait inventée pour se sauver, lui aurait ainsi remis une pièce, « volée dans une légation étrangère par le colonel Picquart », prouvant « la canaillerie du capitaine Dreyfus ». La presse avait été mise au courant par Esterhazy lui-même qui, dans l'interview citée à *L'Écho de Paris*, publiée le 18 novembre, s'était perdu en détails romanesques sur les correspondances et les rencontres à la nuit tombée avec la « dame voilée » qui, effrayée de son sort, désirait l'armer contre ses adversaires.

6. Le 15 octobre 1894, prétextant une blessure à la main, du Paty avait imaginé demander à Dreyfus d'écrire pour lui une lettre qui, reprenant les termes du bordereau, devait le confondre. Dreyfus, on s'en doute, ne s'était pas troublé, ce qui n'empêcha pas du Paty, convaincu quoi qu'il en pût être, d'arrêter le capitaine pour haute trahison.

7. Dans l'article « Le Capitaine Dreyfus à la prison du Cherche-Midi. Historique de la détention », *Le Figaro*, 21 novembre 1897.

pas à tout dire, qu'on cherche, on trouvera. Je déclare simplement que le commandant du Paty de Clam, chargé d'instruire l'affaire Dreyfus, comme officier judiciaire, est, dans l'ordre des dates et des responsabilités, le premier coupable de l'effroyable erreur judiciaire qui a été commise.

Le bordereau était depuis quelque temps déjà entre les mains du colonel Sandherr*, directeur du bureau des renseignements, mort depuis de paralysie générale. Des « fuites » avaient lieu, des papiers disparaissaient, comme il en disparaît aujourd'hui encore ; et l'auteur du bordereau était recherché, lorsqu'un a priori se fit peu à peu que cet auteur ne pouvait être qu'un officier de l'état-major, et un officier d'artillerie : double erreur manifeste, qui montre avec quel esprit superficiel on avait étudié ce bordereau, car un examen raisonné démontre qu'il ne pouvait s'agir que d'un officier de troupe[8].

On cherchait donc dans la maison, on examinait les écritures, c'était comme une affaire de famille, un traître à surprendre dans les bureaux mêmes, pour l'en expulser. Et, sans que je veuille refaire ici une histoire connue en partie, le commandant du Paty de Clam entre en scène, dès qu'un premier soupçon tombe sur Dreyfus. A partir de ce moment, c'est lui qui a inventé Dreyfus, l'affaire devient son affaire, il se fait fort de confondre le traître, de l'amener à des aveux complets. Il y a bien le ministre de la Guerre, le général Mercier*, dont l'intelligence semble médiocre ; il y a bien le chef de l'état-major, le général de Boisdeffre*, qui paraît avoir cédé à sa passion cléricale, et le sous-chef de l'état-major, le général Gonse*, dont la conscience a pu s'accommoder de beaucoup de choses. Mais, au fond, il n'y a d'abord que le commandant du Paty de Clam, qui les mène tous, qui les hypnotise, car il s'occupe aussi de spiritisme, d'occultisme, il converse avec les esprits. On ne saurait concevoir les expériences auxquelles il a soumis le malheureux Dreyfus, les pièges dans lesquels il a voulu le faire tomber, les enquêtes folles, les imaginations monstrueuses, toute une démence torturante.

Ah ! cette première affaire, elle est un cauchemar, pour qui la connaît dans ses détails vrais ! Le commandant du Paty de Clam arrête Dreyfus, le met au secret. Il court chez Mme Dreyfus, la terrorise, lui dit que, si elle parle, son mari est perdu.

---

8. *Cf.* « Conversation avec M. Zola. Le Cas de Dreyfus », note 5.

Pendant ce temps, le malheureux s'arrachait la chair, hurlait son innocence. Et l'instruction a été faite ainsi, comme dans une chronique du XVe siècle, au milieu du mystère, avec une complication d'expédients farouches, tout cela basé sur une seule charge enfantine, ce bordereau imbécile, qui n'était pas seulement une trahison vulgaire, qui était aussi la plus impudente des escroqueries, car les fameux secrets livrés se trouvaient presque tous sans valeur[9]. Si j'insiste, c'est que l'œuf est ici, d'où va sortir plus tard le vrai crime, l'épouvantable déni de justice dont la France est malade. Je voudrais faire toucher du doigt comment l'erreur judiciaire a pu être possible, comment elle est née des machinations du commandant du Paty de Clam, comment le général Mercier, les généraux de Boisdeffre et Gonse ont pu s'y laisser prendre, engager peu à peu leur responsabilité dans cette erreur, qu'ils ont cru devoir, plus tard, imposer comme la vérité sainte, une vérité qui ne se discute même pas. Au début, il n'y a donc, de leur part, que de l'incurie et de l'inintelligence. Tout au plus, les sent-on céder aux passions religieuses du milieu et aux préjugés de l'esprit de corps. Ils ont laissé faire la sottise.

Mais voici Dreyfus devant le conseil de guerre. Le huis clos le plus absolu est exigé. Un traître aurait ouvert la frontière à l'ennemi, pour conduire l'empereur allemand jusqu'à Notre-Dame, qu'on ne prendrait pas des mesures de silence et de mystère plus étroites. La nation est frappée de stupeur, on chuchote des faits terribles, de ces trahisons monstrueuses qui indignent l'Histoire ; et naturellement la nation s'incline. Il n'y a pas de châtiment assez sévère, elle applaudira à la dégradation publique, elle voudra que le coupable reste sur son rocher d'infamie, dévoré par le remords. Est-ce donc vrai, les choses indicibles, les choses dangereuses, capables de mettre l'Europe en flammes, qu'on a dû enterrer soigneusement derrière ce huis clos ? Non ! il n'y a eu, derrière, que les imaginations romanesques et démentes du commandant du Paty de Clam. Tout cela n'a été fait que pour cacher le plus saugrenu des romans-feuilletons. Et il suffit, pour s'en assurer, d'étudier attentivement l'acte d'accusation, lu devant le conseil de guerre[10].

Ah ! le néant de cet acte d'accusation ! Qu'un homme ait pu

---

9. Rien, en effet, dans ces renseignements n'avait le caractère d'une quelconque confidentialité, certains ayant même été publiés dans la presse.

10. Il venait d'être publié dans la seconde édition du *Siècle** du 7 janvier et,

être condamné sur cet acte, c'est un prodige d'iniquité. Je défie les honnêtes gens de le lire, sans que leur cœur bondisse d'indignation et crie leur révolte, en pensant à l'expiation démesurée, là-bas, à l'île du Diable. Dreyfus sait plusieurs langues, crime ; on n'a trouvé chez lui aucun papier compromettant, crime ; il va parfois dans son pays d'origine, crime ; il est laborieux, il a le souci de tout savoir, crime ; il ne se trouble pas, crime ; il se trouble, crime. Et les naïvetés de rédaction, les formelles assertions dans le vide ! On nous avait parlé de quatorze chefs d'accusation : nous n'en trouvons qu'une seule en fin de compte, celle du bordereau ; et nous apprenons même que les experts n'étaient pas d'accord, qu'un d'eux, M. Gobert, a été bousculé militairement, parce qu'il se permettait de ne pas conclure dans le sens désiré[11]. On parlait aussi de vingt-trois officiers qui étaient venus accabler Dreyfus de leurs témoignages. Nous ignorons encore leurs interrogatoires, mais il est certain que tous ne l'avaient pas chargé ; et il est à remarquer, en outre, que tous appartenaient aux bureaux de la guerre[12]. C'est un procès de famille, on est là entre soi, et il faut s'en souvenir : l'état-major a voulu le procès, l'a jugé, et il vient de le juger une seconde fois.

Donc, il ne restait que le bordereau, sur lequel les experts ne s'étaient pas entendus. On raconte que, dans la chambre du conseil, les juges allaient naturellement acquitter. Et, dès lors, comme l'on comprend l'obstination désespérée avec laquelle, pour justifier la condamnation, on affirme aujourd'hui l'existence d'une pièce secrète, accablante, la pièce qu'on ne peut montrer, qui légitime tout, devant laquelle nous devons nous incliner, le bon Dieu invisible et inconnaissable ! Je la nie, cette pièce, je la nie de toute ma puissance ! Une pièce ridicule, oui, peut-être la pièce où il est question de petites femmes, et où il est parlé d'un

_____

commenté par Bernard Lazare, dans la brochure *Comment on condamne un innocent*.

11. Il avait ainsi conclu son expertise : « La lettre-missive incriminée [le bordereau] pourrait être d'une personne autre que la personne soupçonnée. » Le ministre Mercier avait du coup confié l'expertise à un autre expert.

12. Comme, bien plus tard, le dira à Dreyfus un de ses anciens collègues : « Quand, en 1894, le sous-chef d'état-major nous réunit pour nous dire que tu étais coupable et qu'on en avait les preuves certaines, nous en acceptâmes la certitude sans discussion puisqu'elle nous était donnée par un chef. Dès lors nous oubliâmes toutes tes qualités, les relations d'amitié que nous avions eues avec toi pour ne plus rechercher dans nos souvenirs que ce qui pouvait corroborer la certitude qu'on venait de nous inculquer. Tout y fut matière » (cité *in Carnets 1899-1907*).

certain D... qui devient trop exigeant : quelque mari sans doute trouvant qu'on ne lui payait pas sa femme assez cher[13]. Mais une pièce intéressant la défense nationale, qu'on ne saurait produire sans que la guerre fût déclarée demain, non, non ! c'est un mensonge ! Et cela est d'autant plus odieux et cynique qu'ils mentent impunément sans qu'on puisse les en convaincre. Ils ameutent la France, ils se cachent derrière sa légitime émotion, ils ferment les bouches en troublant les cœurs, en pervertissant les esprits. Je ne connais pas de plus grand crime civique.

Voilà donc, monsieur le Président, les faits qui expliquent comment une erreur judiciaire a pu être commise ; et les preuves morales, la situation de fortune de Dreyfus, l'absence de motifs, son continuel cri d'innocence, achèvent de le montrer comme une victime des extraordinaires imaginations du commandant du Paty de Clam, du milieu clérical où il se trouvait, de la chasse aux « sales juifs », qui déshonore notre époque.

Et nous arrivons à l'affaire Esterhazy. Trois ans se sont passés, beaucoup de consciences restent troublées profondément, s'inquiètent, cherchent, finissent par se convaincre de l'innocence de Dreyfus.

Je ne ferai pas l'historique des doutes, puis de la conviction de M. Scheurer-Kestner. Mais, pendant qu'il fouillait de son côté, il se passait des faits graves à l'état-major même. Le colonel Sandherr était mort, et le lieutenant-colonel Picquart lui avait succédé comme chef du bureau des renseignements. Et c'est à ce titre, dans l'exercice de ses fonctions, que ce dernier eut un jour entre les mains une lettre-télégramme, adressée au commandant Esterhazy, par un agent d'une puissance étrangère[14]. Son

---

13. On ne connaissait à cette époque de cette pièce capitale qui avait été montrée aux juges de 1894 à l'insu de Dreyfus et de son défenseur que ce qu'en avait dit Lazare dans sa première brochure. On savait ainsi, sans avoir d'autre renseignement, qu'il y était question d'un espion dont le nom commençait par un D. Il n'y fut jamais question de « petites femmes » pas plus que de mari trop avide comme le dit Zola, dont l'erreur provenait d'une mauvaise information donnée à Joseph Reinach* quelques mois plus tôt et qu'il lui avait transmise, information selon laquelle la pièce contenait trois noms : « D... suivi de trois petits points, un nom de femme et un autre nom » (Marcel Thomas, *L'Affaire sans Dreyfus*, pp. 350 et 571. Voir aussi le passionnant livre d'Alain Pagès, auquel nous empruntons ici quelques renseignements, *Le 13 janvier 1898. Une journée révolutionnaire*, à paraître chez Perrin).

14. Le fameux « petit bleu ».

devoir strict était d'ouvrir une enquête. La certitude est qu'il n'a jamais agi en dehors de la volonté de ses supérieurs. Il soumit donc ses soupçons à ses supérieurs hiérarchiques, le général Gonse, puis le général de Boisdeffre, puis le général Billot, qui avait succédé au général Mercier comme ministre de la Guerre [15]. Le fameux dossier Picquart, dont il a été tant parlé, n'a jamais été que le dossier Billot, j'entends le dossier fait par un subordonné pour son ministre, le dossier qui doit exister encore au ministère de la Guerre. Les recherches durèrent de mai à septembre 1896, et ce qu'il faut affirmer bien haut, c'est que le général Gonse était convaincu de la culpabilité d'Esterhazy, c'est que le général de Boisdeffre et le général Billot ne mettaient pas en doute que le bordereau ne fût de l'écriture d'Esterhazy. L'enquête du lieutenant-colonel Picquart avait abouti à cette constatation certaine. Mais l'émoi était grand, car la condamnation d'Esterhazy entraînait inévitablement la révision du procès Dreyfus ; et c'était ce que l'état-major ne voulait à aucun prix.

Il dut y avoir là une minute psychologique pleine d'angoisse. Remarquez que le général Billot n'était compromis dans rien, il arrivait tout frais, il pouvait faire la vérité. Il n'osa pas, dans la terreur sans doute de l'opinion publique, certainement aussi dans la crainte de livrer tout l'état-major, le général de Boisdeffre, le général Gonse, sans compter les sous-ordres. Puis, ce ne fut là qu'une minute de combat entre sa conscience et ce qu'il croyait être l'intérêt militaire. Quand cette minute fut passée, il était déjà trop tard. Il s'était engagé, il était compromis. Et, depuis lors, sa responsabilité n'a fait que grandir, il a pris à sa charge le crime des autres, il est aussi coupable que les autres, il est plus coupable qu'eux, car il a été le maître de faire justice, et il n'a rien fait. Comprenez-vous cela ! voici un an que le général Billot, que les généraux de Boisdeffre et Gonse savent que Dreyfus est innocent, et ils ont gardé pour eux cette effroyable chose ! Et ces gens-là dorment, et ils ont des femmes et des enfants qu'ils aiment !

Le lieutenant-colonel Picquart avait rempli son devoir d'honnête homme. Il insistait auprès de ses supérieurs, au nom de la

---

15. Chacun refusant de l'entendre. Gonse lui avait même déclaré : « Qu'est-ce que cela peut vous faire que ce juif reste à l'île du Diable ? », ajoutant : « Si vous ne dites rien, personne ne le saura. » Notons ici une petite erreur de Zola : Billot avait succédé à Godefroy Cavaignac qui lui-même avait succédé au général Zurlinden qui avait succédé à Mercier.

justice. Il les suppliait même, il leur disait combien leurs délais étaient impolitiques, devant le terrible orage qui s'amoncelait, qui devait éclater, lorsque la vérité serait connue. Ce fut, plus tard, le langage que M. Scheurer-Kestner tint également au général Billot, l'adjurant par patriotisme de prendre en main l'affaire, de ne pas la laisser s'aggraver, au point de devenir un désastre public. Non ! le crime était commis, l'état-major ne pouvait plus avouer son crime. Et le lieutenant-colonel Picquart fut envoyé en mission, on l'éloigna de plus en plus loin, jusqu'en Tunisie, où l'on voulut même un jour honorer sa bravoure, en le chargeant d'une mission qui l'aurait sûrement fait massacrer, dans les parages où le marquis de Morès a trouvé la mort[16]. Il n'était pas en disgrâce, le général Gonse entretenait avec lui une correspondance amicale. Seulement, il est des secrets qu'il ne fait pas bon d'avoir surpris.

A Paris, la vérité marchait, irrésistible, et l'on sait de quelle façon l'orage attendu éclata. M. Mathieu Dreyfus dénonça le commandant Esterhazy comme le véritable auteur du bordereau, au moment où M. Scheurer-Kestner allait déposer, entre les mains du garde des Sceaux, une demande en révision du procès. Et c'est ici que le commandant Esterhazy paraît. Des témoignages le montrent d'abord affolé, prêt au suicide ou à la fuite. Puis, tout d'un coup, il paye d'audace, il étonne Paris par la violence de son attitude. C'est que du secours lui était venu, il avait reçu une lettre anonyme l'avertissant des menées de ses ennemis, une dame mystérieuse s'était même dérangée de nuit pour lui remettre une pièce volée à l'état-major, qui devait le sauver[17]. Et je ne puis m'empêcher de retrouver là le lieutenant-colonel du Paty de Clam, en reconnaissant les expédients de son imagination fertile. Son œuvre, la culpabilité de Dreyfus, était en péril, et il a voulu sûrement défendre son œuvre. La révision du procès, mais c'était l'écroulement du roman-feuilleton si extravagant, si tragique, dont le dénouement abominable a lieu à l'île du Diable ! C'est ce qu'il ne pouvait permettre. Dès lors, le duel va avoir lieu entre le lieutenant-colonel Picquart et le

---

16. Le marquis de Morès, agitateur antisémite, avait été tué le 8 juin 1896 dans une embuscade à El Ouatia.

17. En plus de la légende de la « dame généreuse », dont il a été question plus haut (note 5), Esterhazy avait en effet reçu, à la mi-octobre, une lettre signée Espérance, œuvre de du Paty, qui le prévenait que son nom allait être « l'objet d'un grand scandale ».

lieutenant-colonel du Paty de Clam, l'un le visage découvert, l'autre masqué. On les retrouvera prochainement tous deux devant la justice civile[18]. Au fond, c'est toujours l'état-major qui se défend, qui ne veut pas avouer son crime, dont l'abomination grandit d'heure en heure.

On s'est demandé avec stupeur quels étaient les protecteurs du commandant Esterhazy. C'est d'abord, dans l'ombre, le lieutenant-colonel du Paty de Clam qui a tout machiné, qui a tout conduit. Sa main se trahit aux moyens saugrenus. Puis, c'est le général de Boisdeffre, c'est le général Gonse, c'est le général Billot lui-même, qui sont bien obligés de faire acquitter le commandant, puisqu'ils ne peuvent laisser reconnaître l'innocence de Dreyfus, sans que les bureaux de la guerre croulent dans le mépris public[19]. Et le beau résultat de cette situation prodigieuse est que l'honnête homme, là-dedans, le lieutenant-colonel Picquart, qui seul a fait son devoir, va être la victime, celui qu'on bafouera et qu'on punira. Ô justice, quelle affreuse désespérance serre le cœur ! On va jusqu'à dire que c'est lui le faussaire, qu'il a fabriqué la carte-télégramme pour perdre Esterhazy. Mais, grand Dieu ! pourquoi ? dans quel but ? Donnez un motif. Est-ce que celui-là aussi est payé par les juifs ? Le joli de l'histoire est qu'il était justement antisémite[20]. Oui ! nous assistons à ce spectacle infâme, des hommes perdus de dettes et de crimes dont on proclame l'innocence, tandis qu'on frappe l'honneur même, un homme à la vie sans tache ! Quand une société en est là, elle tombe en décomposition.

Voilà donc, monsieur le Président, l'affaire Esterhazy : un coupable qu'il s'agissait d'innocenter. Depuis bientôt deux mois, nous pouvons suivre heure par heure la belle besogne. J'abrège, car ce n'est ici, en gros, que le résumé de l'histoire dont les brûlantes pages seront un jour écrites tout au long. Et nous avons donc vu le général de Pellieux, puis le commandant Ravary, conduire une enquête scélérate d'où les coquins sortent transfigurés et les honnêtes gens salis. Puis, on a convoqué le conseil de guerre.

---

18. Picquart ayant porté plainte le 4 janvier contre les auteurs de deux télégrammes anonymes qui lui avaient été envoyés pour le compromettre.

19. Il ne manque, à la liste des « conjurés » ici donnée, que le lieutenant-colonel Henry*, dont on ne pouvait à l'époque soupçonner l'œuvre.

20. C'est encore ce qu'il dira à son procès et ce qu'affirmeront après lui nombre de dreyfusards. Sur ce point, *cf.* Dreyfus, *Carnets 1899-1907*.

Comment a-t-on pu espérer qu'un conseil de guerre déferait ce qu'un conseil de guerre avait fait ?

Je ne parle même pas du choix toujours possible des juges. L'idée supérieure de discipline, qui est dans le sang de ces soldats, ne suffit-elle pas à infirmer leur pouvoir d'équité ? Qui dit discipline dit obéissance. Lorsque le ministre de la Guerre, le grand chef, a établi publiquement, aux acclamations de la représentation nationale, l'autorité de la chose jugée, vous voulez qu'un conseil de guerre lui donne un formel démenti ? Hiérarchiquement, cela est impossible. Le général Billot a suggestionné les juges par sa déclaration, et ils ont jugé comme ils doivent aller au feu, sans raisonner[21]. L'opinion préconçue qu'ils ont apportée sur leur siège, est évidemment celle-ci : « Dreyfus a été condamné pour crime de trahison par un conseil de guerre, il est donc coupable ; et nous, conseil de guerre, nous ne pouvons le déclarer innocent ; or nous savons que reconnaître la culpabilité d'Esterhazy, ce serait proclamer l'innocence de Dreyfus. » Rien ne pouvait les faire sortir de là.

Ils ont rendu une sentence inique, qui à jamais pèsera sur nos conseils de guerre, qui entachera désormais de suspicion tous leurs arrêts. Le premier conseil de guerre a pu être inintelligent, le second est forcément criminel. Son excuse, je le répète, est que le chef suprême avait parlé, déclarant la chose jugée inattaquable, sainte et supérieure aux hommes, de sorte que des inférieurs ne pouvaient dire le contraire. On nous parle de l'honneur de l'armée, on veut que nous l'aimions, la respections. Ah ! certes, oui, l'armée qui se lèverait à la première menace, qui défendrait la terre française, elle est tout le peuple, et nous n'avons pour elle que tendresse et respect. Mais il ne s'agit pas d'elle, dont nous voulons justement la dignité, dans notre besoin de justice. Il s'agit du sabre, le maître qu'on nous donnera demain peut-être. Et baiser dévotement la poignée du sabre, le dieu, non !

Je l'ai démontré d'autre part : l'affaire Dreyfus était l'affaire des bureaux de la guerre, un officier de l'état-major, dénoncé par ses camarades de l'état-major, condamné sous la pression des chefs de l'état-major. Encore une fois, il ne peut revenir

---

21. *Cf.* « M. Zola et le vote de la Chambre », note 2.

innocent sans que tout l'état-major soit coupable. Aussi les bureaux, par tous les moyens imaginables, par des campagnes de presse, par des communications, par des influences, n'ont-ils couvert Esterhazy que pour perdre une seconde fois Dreyfus. Quel coup de balai le gouvernement républicain devrait donner dans cette jésuitière, ainsi que les appelle le général Billot lui-même ! Où est-il, le ministère vraiment fort et d'un patriotisme sage, qui osera tout y refondre et tout y renouveler ? Que de gens je connais qui, devant une guerre possible, tremblent d'angoisse, en sachant dans quelles mains est la défense nationale ! et quel nid de basses intrigues, de commérages et de dilapidations, est devenu cet asile sacré, où se décide le sort de la patrie ! On s'épouvante devant le jour terrible que vient d'y jeter l'affaire Dreyfus, ce sacrifice humain d'un malheureux, d'un « sale juif » ! Ah ! tout ce qui s'est agité là de démence et de sottise, des imaginations folles, des pratiques de basse police, des mœurs d'inquisition et de tyrannie, le bon plaisir de quelques galonnés mettant leurs bottes sur la nation, lui rentrant dans la gorge son cri de vérité et de justice, sous le prétexte menteur et sacrilège de la raison d'État !

Et c'est un crime encore que de s'être appuyé sur la presse immonde, que de s'être laissé défendre par toute la fripouille de Paris, de sorte que voilà la fripouille qui triomphe insolemment, dans la défaite du droit et de la simple probité. C'est un crime d'avoir accusé de troubler la France ceux qui la veulent généreuse, à la tête des nations libres et justes, lorsqu'on ourdit soi-même l'impudent complot d'imposer l'erreur, devant le monde entier. C'est un crime d'égarer l'opinion, d'utiliser pour une besogne de mort cette opinion qu'on a pervertie jusqu'à la faire délirer. C'est un crime d'empoisonner les petits et les humbles, d'exaspérer les passions de réaction et d'intolérance, en s'abritant derrière l'odieux antisémitisme, dont la grande France libérale des droits de l'homme mourra, si elle n'en est pas guérie. C'est un crime que d'exploiter le patriotisme pour des œuvres de haine, et c'est un crime, enfin, que de faire du sabre le dieu moderne, lorsque toute la science humaine est au travail pour l'œuvre prochaine de vérité et de justice.

Cette vérité, cette justice, que nous avons si passionnément voulues, quelle détresse à les voir ainsi souffletées, plus méconnues et plus obscurcies ! Je me doute de l'écroulement qui doit avoir lieu dans l'âme de M. Scheurer-Kestner, et je crois bien qu'il finira par éprouver un remords, celui de n'avoir pas agi révolutionnairement, le jour de l'interpellation au Sénat, en lâchant tout le paquet, pour tout jeter à bas. Il a été le grand honnête homme, l'homme de sa vie loyale, il a cru que la vérité se suffisait à elle-même, surtout lorsqu'elle lui apparaissait éclatante comme le plein jour. A quoi bon tout bouleverser, puisque bientôt le soleil allait luire ? Et c'est de cette sérénité confiante dont il est si cruellement puni. De même pour le lieutenant-colonel Picquart, qui, par un sentiment de haute dignité, n'a pas voulu publier les lettres du général Gonse[22]. Ces scrupules l'honorent d'autant plus que, pendant qu'il restait respectueux de la discipline, ses supérieurs le faisaient couvrir de boue, instruisaient eux-mêmes son procès, de la façon la plus inattendue et la plus outrageante. Il y a deux victimes, deux braves gens, deux cœurs simples, qui ont laissé faire Dieu, tandis que le diable agissait. Et l'on a même vu, pour le lieutenant-colonel Picquart, cette chose ignoble : un tribunal français, après avoir laissé le rapporteur charger publiquement un témoin, l'accuser de toutes les fautes, a fait le huis clos, lorsque ce témoin a été introduit pour s'expliquer et se défendre. Je dis que ceci est un crime de plus et que ce crime soulèvera la conscience universelle. Décidément, les tribunaux militaires se font une singulière idée de la justice.

Telle est donc la simple vérité, monsieur le Président, et elle est effroyable, elle restera pour votre présidence une souillure. Je me doute bien que vous n'avez aucun pouvoir en cette affaire, que vous êtes le prisonnier de la Constitution et de votre entourage. Vous n'en avez pas moins un devoir d'homme, auquel vous songerez, et que vous remplirez. Ce n'est pas, d'ailleurs, que je désespère le moins du monde du triomphe. Je le répète avec une certitude plus véhémente : la vérité est en marche et rien ne l'arrêtera. C'est d'aujourd'hui seulement que l'affaire commence, puisque aujourd'hui seulement les positions sont nettes : d'une part, les coupables qui ne veulent pas que la lumière se fasse ; de l'autre, les justiciers qui donneront leur vie pour qu'elle soit faite. Je l'ai dit ailleurs, et je le répète ici : quand on enferme la vérité sous terre, elle s'y amasse, elle y prend une force telle d'explosion, que, le jour où elle éclate, elle fait tout sauter avec elle. On verra bien si l'on ne vient pas de préparer, pour plus tard, le plus retentissant des désastres.

---

22. Dans lesquelles il l'encourageait à être prudent dans l'enquête qu'il avait entreprise en 1896 sur Esterhazy.

Mais cette lettre est longue, monsieur le Président, et il est temps de conclure.

J'accuse le lieutenant-colonel du Paty de Clam d'avoir été l'ouvrier diabolique de l'erreur judiciaire, en inconscient, je veux le croire, et d'avoir ensuite défendu son œuvre néfaste, depuis trois ans, par les machinations les plus saugrenues et les plus coupables.

J'accuse le général Mercier de s'être rendu complice, tout au moins par faiblesse d'esprit, d'une des plus grandes iniquités du siècle.

J'accuse le général Billot d'avoir eu entre les mains les preuves certaines de l'innocence de Dreyfus et de les avoir étouffées, de s'être rendu coupable de ce crime de lèse-humanité et de lèse-justice, dans un but politique et pour sauver l'état-major compromis.

J'accuse le général de Boisdeffre et le général Gonse de s'être rendus complices du même crime, l'un sans doute par passion cléricale, l'autre peut-être par cet esprit de corps qui fait des bureaux de la guerre l'arche sainte, inattaquable.

J'accuse le général de Pellieux et le commandant Ravary d'avoir fait une enquête scélérate, j'entends par là une enquête de la plus monstrueuse partialité, dont nous avons, dans le rapport du second, un impérissable monument de naïve audace[23].

J'accuse les trois experts en écritures, les sieurs Belhomme, Varinard et Couard, d'avoir fait des rapports mensongers et frauduleux, à moins qu'un examen médical ne les déclare atteints d'une maladie de la vue et du jugement.

J'accuse les bureaux de la guerre d'avoir mené dans la presse, particulièrement dans *L'Éclair** et dans *L'Écho de Paris*, une campagne abominable, pour égarer l'opinion et couvrir leur faute.

J'accuse enfin le premier conseil de guerre d'avoir violé le droit, en condamnant un accusé sur une pièce restée secrète, et j'accuse le second conseil de guerre d'avoir couvert cette illégalité, par ordre, en commettant à son tour le crime juridique d'acquitter sciemment un coupable.

En portant ces accusations, je n'ignore pas que je me mets

---

23. Qui était un plaidoyer pour Esterhazy et un véritable réquisitoire contre Picquart.

sous le coup des articles 30 et 31 de la loi sur la presse du 29 juillet 1881, qui punit les délits de diffamation. Et c'est volontairement que je m'expose.

Quant aux gens que j'accuse, je ne les connais pas, je ne les ai jamais vus, je n'ai contre eux ni rancune ni haine. Ils ne sont pour moi que des entités, des esprits de malfaisance sociale. Et l'acte que j'accomplis ici n'est qu'un moyen révolutionnaire pour hâter l'explosion de la vérité et de la justice.

Je n'ai qu'une passion, celle de la lumière, au nom de l'humanité qui a tant souffert et qui a droit au bonheur. Ma protestation enflammée n'est que le cri de mon âme. Qu'on ose donc me traduire en cour d'assises et que l'enquête ait lieu au grand jour !

J'attends.

Veuillez agréer, monsieur le Président, l'assurance de mon profond respect.

Réponse à l'assignation
Lettre à Monsieur le Ministre de la Guerre

En réponse à mes accusations contre vous, contre vos pairs et vos subordonnés, vous me faites citer à comparaître devant le jury de la Seine, le 7 février prochain[1].

Je serai au rendez-vous.

J'y serai pour un débat loyal, au grand jour.

Mais vous n'avez sans doute pas lu mon acte d'accusation, monsieur le ministre. Quelque scribe vous aura dit que j'avais seulement accusé le conseil de guerre « d'avoir rendu une sentence inique », « d'avoir couvert une illégalité, par ordre, en commettant le crime juridique d'acquitter sciemment un coupable ».

Cette affirmation n'aurait pas suffi à mon besoin de justice. Si j'ai voulu la discussion en pleine lumière, c'est que j'ai désiré faire éclater aux yeux de la France entière la vérité, toute la vérité.

C'est pourquoi j'ai complété les accusations qu'il vous a plu de relever, aux termes de l'acte de l'huissier Dupuis, par d'autres accusations non moins formelles, non moins claires, non moins décisives.

J'ai dit :

J'accuse le lieutenant-colonel du Paty de Clam d'avoir été l'ouvrier diabolique de l'erreur judiciaire, en inconscient, je veux le croire, et d'avoir ensuite défendu son œuvre néfaste, depuis

---

1. Le 13 janvier, à la suite de la parution de « J'accuse !... », la Chambre, sur l'interpellation du député nationaliste Albert de Mun, avait voté, par 292 voix contre 115, l'ordre du jour suivant : « La Chambre, approuvant les déclarations du Gouvernement et comptant que le Gouvernement saura prendre les mesures nécessaires pour mettre fin à la campagne entreprise contre l'honneur de l'armée, passe à l'ordre du jour » (*Journal officiel*, 14 janvier 1898, pp. 11, 15-16). Le 18, le ministre de la Guerre, le général Billot, avait déposé une plainte contre Zola dont ce dernier reçut l'assignation le 20. Seules les quelques lignes que donne Zola dans le paragraphe suivant avaient été retenues pour éviter que le procès permît de revenir sur l'affaire Dreyfus.

trois ans, par les machinations les plus saugrenues et les plus coupables.

J'ai dit :

J'accuse le général Mercier de s'être rendu complice, tout au moins par faiblesse d'esprit, d'une des plus grandes iniquités du siècle.

J'ai dit :

J'accuse le général Billot d'avoir eu entre les mains les preuves certaines de l'innocence de Dreyfus et de les avoir étouffées, de s'être rendu coupable de ce crime de lèse-humanité et de lèse-justice, dans un but politique et pour sauver l'état-major compromis.

J'ai dit :

J'accuse le général de Boisdeffre et le général Gonse de s'être rendus complices du même crime, l'un sans doute par passion cléricale, l'autre peut-être par cet esprit de corps qui fait des bureaux de la guerre l'arche sainte, inattaquable.

J'ai dit :

J'accuse le général de Pellieux et le commandant Ravary d'avoir fait une enquête scélérate, j'entends par là une enquête de la plus monstrueuse partialité, dont nous avons, dans le rapport du second, un impérissable monument de naïve audace.

J'ai dit :

J'accuse les trois experts en écritures, les sieurs Belhomme, Varinard et Couard, d'avoir fait des rapports mensongers et frauduleux, à moins qu'un examen médical ne les déclare atteints d'une maladie de la vue et du jugement.

J'ai dit :

J'accuse les bureaux de la guerre d'avoir mené dans la presse, particulièrement dans *L'Éclair* et dans *L'Écho de Paris*, une campagne abominable, pour égarer l'opinion et couvrir leur faute.

Relisez ces textes, monsieur le ministre, et tout en pensant ce qu'il vous plaira de mon audace, reconnaissez que je n'ai péché ni par manque de précision ni par défaut de clarté.

Et, si vous êtes obligé de le reconnaître, et si, dans votre silence prudent, tout le monde doit avec moi le reconnaître, dites-moi pourquoi aujourd'hui, après cinq jours de méditations, de consultations, d'hésitations, de tergiversations, vous vous précipitez dans une reculade.

Comment ! je puis écrire que « M. le lieutenant-colonel du Paty de Clam a été l'ouvrier diabolique d'une erreur judiciaire, en inconscient peut-être, et qu'il a défendu son œuvre par les machinations les plus coupables », je puis le dire, et on n'ose pas, pour l'avoir écrit, me poursuivre.

Je puis écrire que le général Mercier s'est rendu complice d'une des plus grandes iniquités du siècle, et on n'ose pas, pour l'avoir écrit, me poursuivre.

Je puis écrire que vous, monsieur le général Billot, vous avez eu entre les mains les preuves certaines de l'innocence de Dreyfus, que vous les avez étouffées, que vous vous êtes rendu coupable de ce crime de lèse-humanité et de lèse-justice, dans un but politique et pour sauver l'état-major. Et vous n'osez pas, vous, ministre de la Guerre, pour l'avoir écrit, me poursuivre.

Je puis écrire que le général de Boisdeffre et le général Gonse se sont rendus complices du même crime, et on n'ose pas, pour l'avoir écrit, me poursuivre.

Je puis écrire que le général de Pellieux et le commandant Ravary avaient fait une enquête scélérate, et on n'ose pas, pour l'avoir écrit, me poursuivre.

Je puis écrire que les trois experts en écritures, les sieurs Belhomme, Varinard et Couard, avaient fait des rapports mensongers et frauduleux, et n'osant pas, pour l'avoir écrit, me poursuivre en cour d'assises, on torture la loi et on m'assigne en police correctionnelle[2].

Je puis écrire que les bureaux de la guerre avaient mené dans la presse une campagne abominable afin d'égarer l'opinion et de couvrir leurs fautes, et l'on n'ose pas, pour l'avoir écrit, me poursuivre.

J'ai dit ces choses, et je les maintiens. Est-il vraiment possible que vous n'acceptiez pas la discussion sur des accusations aussi nettement formulées, non moins graves pour l'accusateur que pour les accusés.

Je croyais trouver devant moi M. le colonel du Paty de Clam, M. le général Mercier, M. le général de Boisdeffre et M. le général Gonse, M. le général de Pellieux et M. le commandant Ravary, avec les trois experts en écritures.

J'ai attaqué loyalement, sous le regard de tous : on n'ose me répondre que par les outrages des journaux stipendiés et que par les vociférations des bandes que les cercles catholiques lâchent dans la rue. Je prends acte de cette obstinée volonté de ténèbres,

---

2. Ils lui avaient intenté, le 21 janvier, un procès en diffamation. Le 9 juillet, Zola sera condamné à quinze jours de prison avec sursis et à deux mille francs d'amende et, pour chacun des experts, à cinq mille francs de dommages-intérêts.

mais je vous avertis, en toute loyauté, qu'elle ne vous servira de rien.

Pourquoi vous n'avez pas osé relever toutes mes accusations, je vais vous le dire :

Redoutant le débat dans la lumière, vous avez recours, pour vous sauver, à des moyens de procureur. On vous a découvert, dans la loi du 29 juillet 1881, un article 52 qui NE ME PERMET D'OFFRIR LA PREUVE QUE DES FAITS « *articulés et qualifiés dans la citation* ».

Et, maintenant, vous voilà bien tranquille, n'est-ce pas ?

Contre le colonel du Paty de Clam, contre le général Mercier, contre le général de Boisdeffre et le général Gonse, contre le général de Pellieux et le commandant Ravary, contre vos experts et contre vous-même, vous pensez que je ne pourrai pas faire la preuve.

Eh bien ! vous vous trompez, je vous en avertis d'avance : on vous a mal conseillé.

On avait songé d'abord à me traduire en police correctionnelle ; et l'on n'a point osé, car la Cour de cassation aurait culbuté toute la procédure.

Ensuite, on a eu la pensée de traîner les choses en longueur par une instruction ; mais on a craint de donner ainsi un nouveau développement à l'affaire et d'accumuler contre vous une masse écrasante de témoignages méthodiquement enregistrés.

Enfin, en désespoir de cause, on a décidé de m'imposer une lutte inégale, en me ligotant d'avance, pour vous assurer, par des procédés de basoche, la victoire que vous n'attendez sans doute pas d'un libre débat.

Vous avez oublié que je vais avoir pour juges douze citoyens français, dans leur indépendance.

Je saurai vaincre par la force de la justice, je ferai la lumière dans les consciences par l'éclat de la vérité. On verra, dès les premiers mots, les arguties procédurières balayées par l'impérieuse nécessité de la preuve. Cette preuve, la loi m'ordonne de la faire, et la loi serait menteuse si, m'imposant ce devoir, elle m'en refusait le moyen.

Comment ferais-je la preuve des accusations que vous relevez contre moi, si je ne pouvais montrer l'enchaînement des faits et si l'on m'empêchait de mettre toute l'affaire en pleine clarté ?

La liberté de la preuve, voilà la force où je m'attache.

A propos du procès d'aujourd'hui

Interview avec M. Émile Zola

Au moment où M. Émile Zola doit être traduit devant le jury de la Seine, nous avons la bonne fortune de publier, ci-dessous, le compte rendu d'un rapide entretien que l'éminent et courageux écrivain a bien voulu nous accorder, hier, et des déclarations qu'il a consenti à nous faire, avec une réserve, que nous sommes les premiers à approuver :

– Comme vous pouvez aisément vous en apercevoir, plus approche l'heure solennelle des débats, plus je sens croître et progresser le calme de mes idées et la profonde possession de moi-même, qui, du reste, ne m'a jamais manqué, depuis les débuts de cette terrible affaire.

Il me semble, à première vue, que les impressions personnelles que je vous communiquerais, à la veille du combat, ne pourraient, par leur petitesse et l'étroitesse de leur forme, qu'amoindrir volontairement la portée retentissante d'une cause englobant en son sein l'attention de la France et du monde entier.

Cependant, ayez bien la certitude formelle qu'à dater de ce jour, ma personnalité disparaît ; elle s'évanouit pour laisser se mettre en action les faits, que j'ai placés, en face les uns des autres. Me suis-je trompé, lorsque je disais naguère : « La vérité est en marche, et rien ne l'arrêtera ! » non, car, en dépit des protestations, le procès de demain est bel et bien, et, sans que l'on s'en doute, le premier acte sérieux de cette vérité.

J'ai la jouissance d'avoir, pour un peu, contribué à ce résultat ; dès lors, mon rôle est achevé, celui des événements commence, et je suis persuadé que la lumière saura sortir, d'elle-même, de ces ténèbres atroces.

Aujourd'hui donc, moins que jamais, je ne regrette la campagne entreprise, heureux d'avoir eu l'occasion de mettre ma plume, à laquelle de longues besognes ont assuré quelque notoriété, au service d'une cause de justice et d'humanité, que le bon sens seul suffirait à éclaircir si les esprits, arrachés au feu des dissensions du moment, se trouvaient ramenés au calme. Aussi, irai-je devant ces jurés, la conscience tranquille et guidé par ma seule force : la défense du vrai, en quelque lieu qu'il se trouve...

De semblables paroles se passent de commentaires.

Autour du procès

Rue de Bruxelles

Avant de se rendre au palais de justice, M. Émile Zola a reçu un certain nombre d'amis venus pour l'assurer de leur sympathie. Le salon et la salle de billard de l'hôtel avaient été, avec beaucoup de goût, tapissés de fleurs et de plantes par Mme Zola.

L'éminent romancier ne paraissait nullement ému de l'issue du procès.

– Quelle qu'elle soit, déclarait-il, j'en serai satisfait. Ma conscience ne me reproche rien, car elle seule a dicté ma conduite, et je place cette sentence au-dessus des autres sentences. Acquitté ou condamné, qu'importe au procès, au seul procès qui se déroule devant la conscience universelle. Si ma condamnation doit hâter la solution de ce débat, où j'ai engagé mon repos et mon honneur, je la préférerais certes à mon acquittement.

Et M. Zola, qui a interrompu depuis trois mois ses travaux pour se consacrer à la belle cause de justice que l'on sait, ajoutait en souriant :

– Si je suis condamné, la prison me rendra la liberté. Ce sera la Thébaïde où je pourrai reprendre, dans le recueillement et la solitude, le travail interrompu.

» Je n'ai aucun lien avec la famille Dreyfus. Je n'ai jamais vu M. Mathieu Dreyfus et je ne connais point Mme Dreyfus. Toujours obstinément, avec de fermes excuses, je me suis refusé à toute entrevue pour garder ma liberté d'action. J'ai le droit de proclamer mon indépendance devant le jury et lui indiquerai clairement que l'unique mobile qui me guida fut ma conviction qu'une erreur judiciaire avait été commise et que l'obstination que l'on mettait à ne pas la réparer faisait courir les plus grands dangers à la liberté individuelle comme aux libertés publiques.

» L'innocence de Dreyfus est à mes yeux aussi claire que la lumière du soleil.

» Je garde dans le succès final une confiance absolue.

Des groupes peu nombreux ont circulé dans la matinée devant l'hôtel de M. Émile Zola. Une douzaine d'agents qui stationnaient dans la rue de Bruxelles n'ont pas eu à intervenir.

M. Émile Zola est monté à dix heures quarante-cinq dans le coupé de remise qui l'attendait. [...]

Déclaration au jury

Messieurs les Jurés,

A la Chambre, dans la séance du 22 janvier, M. Méline, président du conseil des ministres, a déclaré, aux applaudissements frénétiques de sa majorité complaisante, qu'il avait confiance dans les douze citoyens aux mains desquels il remettait la défense de l'armée[1]. C'était de vous qu'il parlait, messieurs. Et, de même que M. le général Billot avait dicté son arrêt au conseil de guerre, chargé d'acquitter le commandant Esterhazy, en donnant du haut de la tribune à des subordonnés la consigne militaire du respect indiscutable de la chose jugée[2], de même M. Méline a voulu vous donner l'ordre de me condamner au nom du respect de l'armée, qu'il m'accuse d'avoir outragée. Je dénonce à la conscience des honnêtes gens cette pression des pouvoirs publics sur la justice du pays. Ce sont là des mœurs politiques abominables qui déshonorent une nation libre.

Nous verrons, messieurs, si vous obéirez. Mais il n'est pas vrai que je sois ici, devant vous, par la volonté de M. Méline. Il n'a cédé à la nécessité de me poursuivre que dans un grand trouble, dans la terreur du nouveau pas que la vérité en marche allait faire. Cela est connu de tout le monde. Si je suis devant vous, c'est que je l'ai voulu. Moi seul ai décidé que l'obscure, la monstrueuse affaire serait portée devant votre juridiction, et

---

1. *Journal officiel*, 23 janvier 1898, p. 157. Il avait, peu avant, qualifié en ces termes la lettre de Zola : « (...) cette lettre audacieuse où un écrivain d'un grand talent s'est servi de sa plume pour dénoncer au mépris public les chefs de l'armée, les juges et la justice militaire tout entière ; les experts eux-mêmes n'ont pas trouvé grâce devant lui ; il a été fauchant tout sur son passage avec une superbe inconscience et sans se rendre compte du mal qu'il faisait à son pays. (...) On n'a pas le droit de vouer au mépris les chefs de l'armée. On n'a pas le droit de froisser le sentiment national dans ce qu'il a de plus respectable, au risque de déchaîner des tempêtes, des troubles comme ceux que nous avons tant de peine à maîtriser. »

2. *Cf.* « M. Zola et le vote de la Chambre », note 2.

c'est moi seul, de mon plein gré, qui vous ai choisis, vous l'émanation la plus haute, la plus directe de la justice française, pour que la France sache tout et se prononce. Mon acte n'a pas eu d'autre but, et ma personne n'est rien, j'en ai fait le sacrifice, satisfait simplement d'avoir mis entre vos mains, non seulement l'honneur de l'armée, mais l'honneur en péril de toute la nation.

Vous me pardonneriez donc, si la lumière, dans vos consciences, n'était pas encore entièrement faite. Cela ne serait pas de ma faute. Il paraît que je faisais un rêve, en voulant vous apporter toutes les preuves, en vous estimant les seuls dignes, les seuls compétents. On a commencé par vous retirer de la main gauche ce qu'on semblait vous donner de la droite. On affectait bien d'accepter votre juridiction, mais si l'on avait confiance en vous pour venger les membres d'un conseil de guerre, certains autres officiers restaient intangibles, supérieurs à votre justice elle-même. Comprenne qui pourra. C'est l'absurdité dans l'hypocrisie, et l'évidence éclatante qui en ressort est qu'on a redouté votre bon sens, qu'on n'a point osé courir le danger de nous laisser tout dire et de vous laisser tout juger. Ils prétendent qu'ils ont voulu limiter le scandale ; et qu'en pensez-vous, de ce scandale, de mon acte qui consistait à vous saisir de l'affaire, à vouloir que ce fût le peuple, incarné en vous, qui fût le juge ? Ils prétendent encore qu'ils ne pouvaient accepter une révision déguisée, avouant ainsi qu'ils n'ont qu'une épouvante au fond, celle de votre contrôle souverain. La loi, elle a en vous sa représentation totale ; et c'est cette loi du peuple élu que j'ai désirée, que je respecte profondément, en bon citoyen, et non pas la louche procédure, grâce à laquelle on a espéré vous bafouer vous-mêmes.

Me voilà excusé, messieurs, de vous avoir dérangés de vos occupations, sans avoir eu le pouvoir de vous inonder de la totale lumière que je rêvais. La lumière, toute la lumière, je n'ai eu que ce passionné désir. Et ces débats viennent de vous le prouver, nous avons eu à lutter, pas à pas, contre une volonté de ténèbres extraordinaire d'obstination. Il a fallu un combat pour arracher chaque lambeau de vérité, on a discuté sur tout, on nous a refusé tout, on a terrorisé nos témoins, dans l'espoir de nous empêcher de faire la preuve [3]. Et c'est pour vous seuls que nous nous sommes battus, c'est pour que cette preuve vous

---

3. Et on les avait surtout empêchés de parler. Le président Delegorgue n'eut de cesse d'opposer aux avocats un rituel : « La question ne sera pas posée. »

fût soumise entière, afin que vous puissiez vous prononcer sans remords, dans votre conscience. Je suis donc certain que vous nous tiendrez compte de nos efforts, et que, d'ailleurs, assez de clarté a pu être faite. Vous avez entendu les témoins, vous allez entendre mon défenseur[4], qui vous dira l'histoire vraie, cette histoire qui affole tout le monde, et que personne ne connaît. Et me voilà tranquille, la vérité est en vous maintenant : elle agira.

M. Méline a donc cru dicter votre arrêt, en vous confiant l'honneur de l'armée. Et c'est au nom de cet honneur de l'armée que je fais moi-même appel à votre justice. Je donne à M. Méline le plus formel démenti, je n'ai jamais outragé l'armée. J'ai dit, au contraire, ma tendresse, mon respect pour la nation en armes, pour nos chers soldats de France qui se lèveraient à la première menace, qui défendraient la terre française. Et il est également faux que j'aie attaqué les chefs, les généraux qui les mèneraient à la victoire. Si quelques individualités des bureaux de la guerre ont compromis l'armée elle-même par leurs agissements, est-ce donc insulter l'armée tout entière que de le dire ? N'est-ce pas plutôt faire œuvre de bon citoyen que de la dégager de toute compromission, que de jeter le cri d'alarme, pour que les fautes, qui, seules, nous ont fait battre, ne se reproduisent pas et ne nous mènent pas à de nouvelles défaites ? Je ne me défends pas d'ailleurs, je laisse à l'histoire le soin de juger mon acte, qui était nécessaire. Mais j'affirme qu'on déshonore l'armée, quand on laisse les gendarmes embrasser le commandant Esterhazy, après les abominables lettres qu'il a écrites. J'affirme que cette vaillante armée est insultée chaque jour par les bandits qui, sous prétexte de la défendre, la salissent de leur basse complicité, en traînant dans la boue tout ce que la France compte encore de bon et de grand. J'affirme que ce sont eux qui la déshonorent, cette grande armée nationale, lorsqu'ils mêlent les cris de : Vive l'armée ! à ceux de : A mort les juifs ! Et ils ont crié : Vive Esterhazy ! Grand Dieu ! le peuple de Saint Louis, de Bayard, de Condé et de Hoche, le peuple qui compte cent victoires géantes, le peuple des grandes guerres de la République et de l'Empire, le peuple dont la force, la grâce et la générosité ont ébloui l'univers, criant : Vive Esterhazy ! C'est une honte dont notre effort de vérité et de justice peut seul nous laver.

---

4. Mᵉ Fernand Labori*.

Vous connaissez la légende qui s'est faite. Dreyfus a été condamné justement et légalement par sept officiers infaillibles, qu'on ne peut même suspecter d'erreur sans outrager l'armée entière. Il expie dans une torture vengeresse son abominable forfait. Et, comme il est juif, voilà qu'un syndicat juif s'est créé, un syndicat international de sans-patrie, disposant de millions par centaines, dans le but de sauver le traître, au prix des plus impudentes manœuvres. Dès lors, ce syndicat s'est mis à entasser les crimes, achetant les consciences, jetant la France dans une agitation meurtrière, décidé à la vendre à l'ennemi, à embraser l'Europe d'une guerre générale, plutôt que de renoncer à son effroyable dessein. Voilà, c'est très simple, même enfantin et imbécile, comme vous le voyez. Mais c'est de ce pain empoisonné que la presse immonde nourrit notre pauvre peuple depuis des mois. Et il ne faut pas s'étonner, si nous assistons à une crise désastreuse, car lorsqu'on sème à ce point la sottise et le mensonge, on récolte forcément la démence.

Certes, messieurs, je ne vous fais pas l'injure de croire que vous vous en étiez tenus, jusqu'ici, à ce conte de nourrice. Je vous connais, je sais qui vous êtes. Vous êtes le cœur et la raison de Paris, de mon grand Paris, où je suis né, que j'aime d'une infinie tendresse, que j'étudie et que je chante depuis bientôt quarante ans. Et je sais également, à cette heure, ce qui se passe dans vos cerveaux ; car, avant de venir m'asseoir ici, comme accusé, j'ai siégé là, au banc où vous êtes. Vous y représentez l'opinion moyenne, vous tâchez d'être, en masse, la sagesse et la justice. Tout à l'heure, je serai en pensée avec vous dans la salle de vos délibérations, et je suis convaincu que votre effort sera de sauvegarder vos intérêts de citoyens, qui sont naturellement, selon vous, les intérêts de la nation entière. Vous pourrez vous tromper, mais vous vous tromperez dans la pensée, en assurant votre bien, d'assurer le bien de tous.

Je vous vois dans vos familles, le soir, sous la lampe ; je vous entends causer avec vos amis, je vous accompagne dans vos ateliers, dans vos magasins. Vous êtes tous des travailleurs, les uns commerçants, les autres industriels, quelques-uns exerçant des professions libérales. Et votre très légitime inquiétude est l'état déplorable dans lequel sont tombées les affaires. Partout, la crise actuelle menace de devenir un désastre, les recettes baissent, les transactions deviennent de plus en plus difficiles. De sorte que la pensée que vous avez apportée ici, la pensée que je lis sur vos visages, est qu'en voilà assez et qu'il faut en finir.

Vous n'en êtes pas à dire comme beaucoup : « Que nous importe qu'un innocent soit à l'île du Diable ! est-ce que l'intérêt d'un seul vaut la peine de troubler ainsi un grand pays ? » Mais vous vous dites tout de même que notre agitation, à nous les affamés de vérité et de justice, est payée trop chèrement par tout le mal qu'on nous accuse de faire. Et, si vous me condamnez, messieurs, il n'y aura que cela au fond de votre verdict : le désir de calmer les vôtres, le besoin que les affaires reprennent, la croyance qu'en me frappant, vous arrêterez une campagne de revendication nuisible aux intérêts de la France.

Eh bien ! messieurs, vous vous tromperiez absolument. Veuillez me faire l'honneur de croire que je ne défends pas ici ma liberté. En me frappant, vous ne feriez que me grandir. Qui souffre pour la vérité et la justice devient auguste et sacré. Regardez-moi, messieurs : ai-je mine de vendu, de menteur et de traître ? Pourquoi donc agirais-je ? Je n'ai derrière moi ni ambition politique, ni passion de sectaire. Je suis un libre écrivain, qui a donné sa vie au travail, qui rentrera demain dans le rang et reprendra sa besogne interrompue. Et qu'ils sont donc bêtes ceux qui m'appellent l'Italien[5], moi né d'une mère française, élevé par de grands-parents beaucerons, des paysans de cette forte terre, moi qui ai perdu mon père à sept ans, qui ne suis allé en Italie qu'à cinquante-quatre ans, et pour documenter un livre. Ce qui ne m'empêche pas d'être très fier que mon père soit de Venise, la cité resplendissante dont la gloire ancienne chante dans toutes les mémoires. Et, si même je n'étais pas français, est-ce que les quarante volumes de langue française que j'ai jetés par millions d'exemplaires dans le monde entier, ne suffiraient pas à faire de moi un Français, utile à la gloire de la France !

Donc, je ne me défends pas. Mais quelle erreur serait la vôtre, si vous étiez convaincus qu'en me frappant, vous rétabliriez l'ordre dans notre malheureux pays ! Ne comprenez-vous pas, maintenant, que ce dont la nation meurt, c'est de l'obscurité où l'on s'entête à la laisser, c'est de l'équivoque où elle agonise ? Les fautes des gouvernants s'entassent sur les fautes, un mensonge en nécessite un autre, de sorte que l'amas devient effroyable. Une erreur judiciaire a été commise, et dès lors, pour la cacher, il a fallu chaque jour commettre un nouvel attentat au

---

5. *Cf.* l'article de Champsaur et celui de Barrès* donnés à la suite.

bon sens et à l'équité. C'est la condamnation d'un innocent qui a entraîné l'acquittement d'un coupable ; et voilà, aujourd'hui, qu'on vous demande de me condamner à mon tour, parce que j'ai crié mon angoisse, en voyant la patrie dans cette voie affreuse. Condamnez-moi donc ! mais ce sera une faute encore, ajoutée aux autres, une faute dont plus tard vous porterez le poids dans l'histoire. Et ma condamnation, au lieu de ramener la paix que vous désirez, que nous désirons tous, ne sera qu'une semence nouvelle de passion et de désordre. La mesure est comble, je vous le dis, ne la faites pas déborder.

Comment ne vous rendez-vous pas un compte exact de la terrible crise que le pays traverse ? On dit que nous sommes les auteurs du scandale, que ce sont les amants de la vérité et de la justice qui détraquent la nation, qui poussent à l'émeute. En vérité, c'est se moquer du monde. Est-ce que le général Billot, pour ne nommer que lui, n'est pas averti depuis dix-huit mois ? Est-ce que le colonel Picquart n'a pas insisté pour qu'il prît la révision en main, s'il ne voulait pas laisser l'orage éclater et tout bouleverser ? Est-ce que M. Scheurer-Kestner ne l'a pas supplié, les larmes aux yeux, de songer à la France, de lui éviter une pareille catastrophe ? Non, non ! notre désir a été de tout faciliter, de tout amortir, et si le pays est dans la peine, la faute en est au pouvoir qui, désireux de couvrir les coupables, et poussé par des intérêts politiques, a tout refusé, espérant qu'il serait assez fort pour empêcher la lumière d'être faite. Depuis ce jour, il n'a manœuvré que dans l'ombre, pour les ténèbres, et c'est lui, lui seul, qui est responsable du trouble éperdu où sont les consciences.

L'affaire Dreyfus, ah ! messieurs, elle est devenue bien petite à l'heure actuelle, elle est bien perdue et bien lointaine, devant les terrifiantes questions qu'elle a soulevées. Il n'y a plus d'affaire Dreyfus, il s'agit désormais de savoir si la France est encore la France des droits de l'homme, celle qui a donné la liberté au monde et qui devait lui donner la justice. Sommes-nous encore le peuple le plus noble, le plus fraternel, le plus généreux ? Allons-nous garder en Europe notre renom d'équité et d'humanité ? Puis, ne sont-ce pas toutes les conquêtes que nous avions faites et qui sont remises en question ? Ouvrez les yeux et comprenez que, pour être dans un tel désarroi, l'âme française doit être remuée jusque dans ses intimes profondeurs, en face d'un péril redoutable. Un peuple n'est point bouleversé de la sorte, sans que sa vie morale elle-même soit en danger. L'heure est d'une gravité exceptionnelle, il s'agit du salut de la nation.

Et, quand vous aurez compris cela, messieurs, vous sentirez qu'il n'est qu'un seul remède possible : dire la vérité, rendre la justice. Tout ce qui retardera la lumière, tout ce qui ajoutera des ténèbres aux ténèbres, ne fera que prolonger et aggraver la crise. Le rôle des bons citoyens, de ceux qui sentent l'impérieux besoin d'en finir, est d'exiger le grand jour. Nous sommes déjà beaucoup à le penser. Les hommes de littérature, de philosophie et de science, se lèvent de toute part, au nom de l'intelligence et de la raison. Et je ne vous parle pas de l'étranger, du frisson qui a gagné l'Europe tout entière. Pourtant l'étranger n'est pas forcément l'ennemi. Ne parlons pas des peuples qui peuvent être demain des adversaires. Mais la grande Russie, notre alliée, mais la petite et généreuse Hollande, mais tous les peuples sympathiques du Nord, mais ces terres de langue française, la Suisse et la Belgique, pourquoi donc ont-elles le cœur si gros, si débordant de fraternelle souffrance ? Rêvez-vous donc une France isolée dans le monde ? Voulez-vous, quand vous passerez la frontière, qu'on ne sourie plus à votre bon renom légendaire d'équité et d'humanité ?

Hélas ! messieurs, ainsi que tant d'autres, vous attendez peut-être le coup de foudre, la preuve de l'innocence de Dreyfus, qui descendrait du ciel comme un tonnerre. La vérité ne procède point ainsi d'habitude, elle demande quelque recherche et quelque intelligence. La preuve ! nous savons bien où l'on pourrait la trouver. Mais nous ne songeons à cela que dans le secret de nos âmes, et notre angoisse patriotique est qu'on se soit exposé à recevoir un jour le soufflet de cette preuve, après avoir engagé l'honneur de l'armée dans un mensonge. Je veux aussi déclarer nettement que, si nous avons notifié comme témoins certains membres des ambassades, notre volonté formelle était à l'avance de ne pas les citer ici. On a souri de notre audace. Je ne crois pas qu'on en ait souri au ministère des affaires étrangères, car là on a dû comprendre. Nous avons simplement voulu dire à ceux qui savent toute la vérité, que nous la savons, nous aussi. Cette vérité court les ambassades, elle sera demain connue de tous. Et il nous est impossible d'aller dès maintenant la chercher où elle est, protégée par d'infranchissables formalités. Le gouvernement qui n'ignore rien, le gouvernement qui est convaincu, comme nous, de l'innocence de Dreyfus, pourra, quand il le voudra, et sans risque, trouver les témoins qui feront enfin la lumière.

Dreyfus est innocent, je le jure. J'y engage ma vie, j'y engage mon honneur. A cette heure solennelle, devant ce tribunal qui représente la justice humaine, devant vous, messieurs les jurés, qui êtes l'émanation même de la nation, devant toute la France, devant le monde entier, je jure que Dreyfus est innocent. Et, par mes quarante années de travail, par l'autorité que ce labeur a pu me donner, je jure que Dreyfus est innocent. Et, par tout ce que j'ai conquis, par le nom que je me suis fait, par mes œuvres qui ont aidé à l'expansion des lettres françaises, je jure que Dreyfus est innocent. Que tout cela croule, que mes œuvres périssent, si Dreyfus n'est pas innocent ! Il est innocent.

Tout semble être contre moi, les deux Chambres, le pouvoir civil, le pouvoir militaire, les journaux à grand tirage, l'opinion publique qu'ils ont empoisonnée. Et je n'ai pour moi que l'idée d'un idéal de vérité et de justice. Et je suis bien tranquille, je vaincrai.

Je n'ai pas voulu que mon pays restât dans le mensonge et dans l'injustice. On peut me frapper ici. Un jour, la France me remerciera d'avoir aidé à sauver son honneur.

Chez M. Émile Zola

Fleurs et bouquets. – Hommages de sympathie. –
M. Zola se repose. – Espoir et courage.

Dès que la nouvelle de la condamnation de M. Émile Zola a été connue avant-hier soir, les témoignages de sympathie ont commencé à affluer rue de Bruxelles. Depuis lors, il en arrive sans cesse, et le vestibule est encombré de fleurs et de bouquets, et chaque courrier apporte des monceaux de lettres affectueuses.

Dans la salle de billard du premier étage, où m'introduit le domestique, il y a des gerbes de fleurs sur tous les meubles. Sur le billard, une grande couronne de lauriers est déposée.

– Tout d'abord, me dit M. Zola, permettez-moi de vous demander un service. Veuillez remercier en mon nom les amis connus ou inconnus qui m'envoient des cartes et des télégrammes. Je ne pourrais le faire moi-même. Ils sont trop nombreux.

Nous causons du procès. Le courageux écrivain est très calme, et c'est sans aucune amertume qu'il me parle de sa condamnation :

– Je m'y attendais, me dit-il. Elle était certaine depuis le jour où le général de Pellieux et le général de Boisdeffre intervinrent pour exercer une pression sur le jury au nom de l'honneur de l'armée, que je n'avais pourtant nullement attaquée[1]. Le motif des poursuites était dénaturé au point que le verdict des jurés

---

1. Au cours du procès, le général de Pellieux avait affirmé la culpabilité de Dreyfus en citant une lettre émanant d'un attaché militaire étranger, « preuve irréfutable » dans laquelle il était dit : « Il va se produire une interpellation sur l'affaire Dreyfus. Ne dites jamais les relations que nous avons eues avec ce Juif. » Le général Gonse, puis, le lendemain, le général de Boisdeffre étaient venus à la barre confirmer l'authenticité de la pièce. Boisdeffre avait conclu, s'adressant au jury : « Vous êtes le jury, vous êtes la nation ; si la nation n'a pas confiance dans les chefs de son armée, dans ceux qui ont la responsabilité de la défense nationale, ils sont prêts à laisser à d'autres cette lourde tâche, vous n'avez qu'à parler » (*Procès Zola*, II, pp. 128, 130 et 138). Cette pièce, dont il sera à nouveau question les mois suivants pour prouver la culpabilité du capitaine, était un faux fabriqué par le lieutenant-colonel Henry.

paraissait devenir une question de patriotisme. Dès lors, ni la superbe éloquence de Labori, ni l'argumentation serrée de Clemenceau[2] ne pouvaient éviter la condamnation.

– Comptez-vous signer votre pourvoi en cassation ?

– Certainement, c'est déjà fait. Aujourd'hui, je me repose. Je me borne à recevoir quelques amis. Quelques heures de repos me sont bien dues, après les écrasantes fatigues de ces quinze audiences.

Et, comme, au cours de la conversation, il est question des manifestations abominables qui se produisirent avant-hier au palais de justice, le Maître me dit :

– Je ne rends point Paris responsable de ce qui s'est passé. Ce n'est point Paris – ce Paris que j'aime tant ! – qui vociférait et poussait des cris de mort dans l'espoir d'étouffer notre voix. Loin de moi l'idée de confondre le grand, le généreux peuple de Paris avec une bande de fanatiques et de braillards payés.

En me reconduisant, le Maître ajoute :

– Je n'ai rien perdu de ma foi. La lumière se fera. N'a-t-elle pas commencé à se faire pendant notre procès ? Loin d'être abattu, je suis plein de courage et d'espoir, ayant la conviction de servir une cause juste.

2. Georges Clemenceau qui avait prononcé la plaidoirie finale. Son frère, Albert, avait assuré la défense du gérant du journal *L'Aurore**.

IMPRESSIONS D'UN TÉMOIN

Quinze soirs.

Poings tendus, bouches crispées, faces convulsives.

Quinze soirs, place Dauphine, quelques héros modernes désignant à la foule, du haut des marches, les personnes élues pour les huées et, si l'on osait pour le meurtre, et la même tourbe se saluant elle-même sous les uniformes des généraux et le dolman du commandant comte Walsin Esterhazy, acclamé par les camelots boulangistes, M. Henri d'Orléans[1] et les douteux éphèbes intermédiaires entre le séminariste et le souteneur.

Quinze soirs de dégoût, de honte et d'angoisse, avec le frisson inquiet d'assister à un morne spectacle où le sang coulera peut-être, sans même que les acteurs immondes aux gages de l'antisémitisme aient l'excuse d'une haine sincère et spontanée.

« A bas Zola, mort aux Juifs, à l'eau Leblois, à bas Picquart, à mort Yves Guyot[2], vive l'armée, vive Esterhazy ! »

Quinze soirs de clameurs forcénées poussées par quelques centaines de brutes sauvages en rut d'un empereur prochain, d'un soudard quelconque, botté, chamarré d'or, et qui portera la cravache et fera s'ébrouer son cheval noir au milieu d'un état-major d'argousins.

Quinze soirs...

Mais ces mauvaises heures étaient à peine tragiques au prix de celles que j'ai connues pendant deux semaines, dans la salle des témoins et dans la salle d'audience. Jamais je n'ai plus douloureusement senti combien les hommes sont presque tous des étrangers les uns pour les autres et qu'il y a entre certains êtres d'irréductibles antinomies, des hostilités farouches et irrémédiables qui ne peuvent prendre fin que par l'écrasement de l'ennemi : j'ai compris la guillotine, la fusillade et les guerres civiles et ce qu'il y a de défense personnelle au fond de toute révolte.

Les généraux nous supprimeront si nous ne supprimons pas les généraux ; ils nous méprisent, ils nous haïssent avec l'inconscience d'une effroyable bonne foi et, pour sauver l'honneur des bureaux, ils

---

1. Le prince Henri d'Orléans était allé serrer la main d'Esterhazy acquitté.

2. Yves Guyot, ancien député de la Seine et ancien ministre (cabinet Tirard, 1889-1890 et Freycinet, 1890-1892), était le directeur du *Siècle*. Dreyfusard, il publia, chez Stock, quatre ouvrages sur l'Affaire : *L'Innocent et le Traître : Dreyfus et Esterhazy* (1898) ; *La Révision du procès Dreyfus* (1898) ; *Analyse de l'enquête* (1899) ; *Les Raisons de Basile* (1899).

feraient allégrement massacrer cent mille Parisiens par leur ami et féal serviteur le uhlan[3].

Comme il est très difficile, quand on n'est pas un psychologue aussi averti que M. Maurice Barrès, d'attribuer aux actes des bipèdes humains des motifs uniquement ignominieux, j'ai fait effort sur moi-même, pendant quelques jours : j'ai cherché sous les uniformes des âmes fraternelles ; j'ai désiré m'apprendre qu'un personnage galonné appartenant aux services de la rue Saint-Dominique[4] n'était point de toute nécessité un imbécile ou un assassin en puissance. Je crains de m'être trompé, pour presque tous, et je le dis avec une profonde tristesse, étant, comme l'Antigone antique, de ceux qui naquirent non pour la haine, mais pour l'amour.

Tout d'abord, à la façon de visiteurs qu'on n'a pas présentés les uns aux autres, les témoins se formèrent en groupes sympathiques selon leurs affinités professionnelles : les militaires d'un côté ; dans un coin les anciens ministres, qui semblaient tenir conseil ; ailleurs les savants et les hommes de lettres qui firent vite bonne compagnie. Dans une autre salle plus petite, fébrile et prostrée, l'oreille attentive aux bruits qui venaient de la cour d'assises quand une porte s'entr'ouvrait, la femme en grand deuil assistée d'un jeune homme triste et grave, son frère, et, non loin, le lieutenant-colonel Picquart, plus MM. Trarieux* et Scheurer-Kestner qui, pas une seule fois, n'entrèrent dans la pièce où se tenaient les officiers ; puis, errant dans les couloirs, seul, blême, aux aguets de conversations accusatrices, le commandant comte Walsin Esterhazy, à qui, la première journée, aucun de ses chefs et de ses camarades, ne fit l'aumône d'une parole. Le lendemain, les généraux, pris de pudeur, déléguèrent, par ordre, quelques subalternes pour converser avec l'homme mis, la veille, en interdit.

Il fut, pendant quarante-huit heures, possible de causer et de s'abstraire. Mais, dès que les dépositions graves commencèrent, il fallut renoncer aux entretiens pleins de sagesse souriante avec M. Anatole France* et aux souvenirs de M. Ranc* racontant sa vie aventureuse de conspirateur non repenti. Des propos extraordinaires sortaient des bouches soldatesques : « Faut-il qu'Ils soient puissants pour nous avoir traînés jusqu'ici ! *Ont-Ils dû en dépenser, de l'argent ! – Ah ! ah ! M. Zola ne me connaissait pas quand il a écrit son article ; je n'ai pas l'air d'un homme louche, moi ! je suis entré la tête haute, la poitrine en avant et j'ai fait le salut militaire.* » Et cette argumentation mimée semblait admirablement éloquente à MM. d'Ormescheville[5] et Ravary qui proférèrent, eux aussi, des paroles historiques : « *Moi qui suis habitué à la sérénité des conseils de guerre !* » s'exclamait le premier tout fier de ses confortables chaussons de Strasbourg ; et l'autre grommela : « *J'espère bien qu'Il sera écharpé avant la fin du procès.* »

Tout à coup, à une suspension d'audience, des cris furieux d'ovation arrivent de la salle : « *Vive Picquart ! Vive Picquart !* » et voici qu'émus comme des enfants et presque en pleurs, sans crainte du ridicule, nous

---

3. Autrement dit Esterhazy.

4. Le ministère de la Guerre.

5. Qui était l'auteur de l'extraordinaire acte d'accusation contre Dreyfus dont il est question dans « J'accuse !... ».

serrons les mains de l'héroïque et calme garçon qui vient de faire jaillir un peu de lumière dans toute cette ombre. Ce fut la minute décisive où s'affirma contre nous la haine féroce des officiers et comme, ce soir-là, tandis qu'ils assommaient un avocat, l'un d'eux s'écria avec bienveillance : « *Arrêtez-le, mais ne le tuez pas, ça n'est pas la peine* », quiconque ne portait pas un uniforme estima utile d'imiter désormais le prudent exemple de M. Trarieux. Il était sage d'éviter les suites d'hallucinations collectives et il y en eut de singulières alors, que si quelqu'un prononçait : « *la Banque de France* », il se rencontrait des fous pour entendre « *À bas la France !* » parce que l'on entend toujours les paroles qu'on désire entendre, ou qu'on a coutume d'entendre : tels les sténographes qui écrivirent « *le général président le conseil de guerre* », quand un témoin disait : « *le général commandant le conseil de guerre* » pour indiquer, j'imagine, avec quelle impartialité ces Messieurs ont coutume de juger.

Les choses irréparables avaient eu lieu ; elles étaient fatales. D'heure en heure, le dissentiment s'accrut, et c'est merveille qu'il ne soit pas survenu de tuerie entre des hommes obligés de vivre ainsi côte à côte, dans le tumulte de l'audience, secoués de passions contradictoires et violentes.

Les dépositions successives aggravèrent les haines. Pendant que M. Jaurès[6] chantait l'hymne de la vérité et de la justice et vaticinait les futurs désastres, ou que, de sa voix lucide, M. Paul Meyer[7] déniait au général de Pellieux un suffisant esprit critique, derrière eux des bouches furieuses hurlaient : « *Cochon, crapule, douze balles dans le dos !* » et les moins frénétiques de ces énergumènes répétaient la stupide phrase : « *Cela durera tant qu'Ils auront de l'argent !* »

On comprenait si bien le danger de tout colloque direct que j'ai laissé sans réponse la sollicitation, flatteuse pour ma vanité, de l'officier qui, à quatre reprises, voulut bien me chanter aux oreilles quelques-uns de mes vers. Une seule minute de rémission fut celle où, parmi les rumeurs oubliées, un voisin d'audience, épris de belles-lettres, me demanda quels livres grecs ou latins il faudrait lire pour goûter en toute connaissance le charme des *Chansons de Bilitis*[8] ; les noms de Catulle, de Méléagre et de Théocrite et l'évocation des belles courtisanes dont Athénée raconta la vie nous affranchirent, pendant trop peu de temps, de toutes les infamies et de toutes les laideurs.

Cela ; et le tranquille courage des professeurs que je m'honore, maintenant plus que jamais, d'avoir eus pour maîtres.

Je ne vois guère que la science ait fait faillite, ni que les savants, quand ils prennent contact avec la vie, soient inférieurs dans l'action aux histrions empanachés. Sans souci des hurlements, MM. Paul

---

6. Jean Jaurès est bien connu. Notons qu'il s'était engagé pour Dreyfus en janvier et qu'il publiera, cette même année, un important ouvrage, reprise de ses articles de *La Petite République** : *Les Preuves*. En 1903, encore, c'est par un discours à la Chambre demeuré célèbre qu'il permettra la reprise de l'Affaire qui aboutira, en 1906, à la réhabilitation de Dreyfus.

7. Paul Meyer, philologue et paléographe, membre de l'Institut et directeur de l'École des Chartes.

8. Mystification de Pierre Louÿs qui avait paru, en 1895, à la Librairie de l'Art indépendant.

Meyer, Giry[9] et Louis Havet[10] et d'autres, comme M. Grimaux[11], admirable et touchant vieillard, établirent la vérité, la proclamèrent au mépris de la meute et prirent conscience qu'il fallait faire face au dogme et à l'autorité, sous peine de ne pouvoir plus dire, dans quelques mois, que deux et deux font quatre s'il convient à M. de Boisdeffre et à M. de Pellieux de donner leur parole d'honneur de soldats que deux et deux font cinq et de menacer la lâcheté publique de la boucherie et de la guerre, pour peu qu'on se permette d'en douter.

Il s'est trouvé, en effet, que les rhéteurs experts aux crocs-en-jambe de la dialectique ne furent, en cette affaire, ni les professeurs, ni les avocats, mais les généraux. Il y a eu, le jeudi 17 février, une minute où ces hommes se sentirent perdus, empêtrés dans les contradictions et les mensonges officiels. Ils avaient eu l'imprudence de discuter des faits précis, et MM. de Pellieux et Gonse faisaient triste mine en face du colonel Picquart, de Labori et d'Albert Clemenceau. Ils consentaient à appeler de nouveau Picquart « *colonel* » ; ils le prenaient à témoin que jamais « *il n'avait été traité en accusé* » et que le seul reproche, reproche oral, qu'on lui eût adressé était d'avoir commis « *une faute militaire grave* ». « *Une faute militaire, rappelez-vous, colonel !* » insinuait M. de Pellieux prêt à abandonner son Esterhazy.

Suspension d'audience ; M. de Pellieux consulte Esterhazy et Me Tézenas[12] dans les couloirs et, à la reprise, dans un accès de feinte passion, affirme l'existence d'une preuve postérieure, d'un petit papier Norton[13] qu'il déclare authentique et qui est un faux manifeste et enfantin, comme toutes les pièces colligées par le colonel Sandherr[14], y compris la correspondance photographiée entre Guillaume, empereur et roi, et Alfred Dreyfus, chétif capitaine juif[15].

Ici finit en réalité le débat, puisque dès lors toute contradiction fut interdite en présence des insolentes déclamations de M. de Boisdeffre,

---

9. Arthur Giry, membre de l'Institut, professeur à l'École des Chartes et à l'École des hautes études.

10. Louis Havet, professeur de philologie latine au Collège de France. Il fut un des fondateurs de la Ligue des droits de l'homme.

11. Édouard Grimaux, chimiste, agrégé honoraire de la faculté de médecine, membre de l'Académie des sciences, enseignait à Polytechnique et à l'Institut agronomique. Sa déposition au procès Zola lui vaudra d'être destitué de ses deux chaires.

12. L'avocat d'Esterhazy.

13. L'auteur des faux publiés par *La Cocarde* en 1893 dans le but de compromettre Clemenceau et quelques autres. Lucien Millevoye, qui deviendra peu après rédacteur en chef du journal nationaliste *La Patrie**, avait lu quelques-uns de ces papiers à la tribune, faux tellement manifestes qu'il fut obligé de démissionner.

14. Sur cette pièce, *cf.* la note 1 de « Chez M. Émile Zola ».

15. Ce mensonge, le plus extraordinaire de l'Affaire, dont il avait été question dans la déposition du lieutenant-colonel Henry au procès Zola, était apparu quelques mois plus tôt, le 13 décembre 1897, dans *L'Intransigeant*. Charles Roger y parlait d'une lettre écrite par Guillaume II à M. de Münster, ambassadeur d'Allemagne, qui « nommait tout au long le capitaine Dreyfus, commentait certains renseignements et chargeait l'agent de l'ambassade communiquant avec

offrant au jury de rendre le tablier sale de l'État-Major, avec la complicité du président Delegorgue qui bâillonna les défenseurs [16].

Cependant, une scène du drame demeurait, encore non jouée, d'une beauté terrible qui fait honneur à l'imagination du metteur en scène. La main levée du général de Pellieux enjoignit le silence au commandant comte Walsin Esterhazy appelé de nouveau à la barre et qui refusa de répondre « *à ces gens-là* ». Ces gens-là, les défenseurs. Pendant une demi-heure les soixante questions d'Albert Clemenceau torturèrent l'homme muet tourné vers le jury, impassible, frémissant, et qui s'essayait à sourire pour dissimuler aux dessinateurs sa réelle physionomie de grand fauve fatigué, prêt peut-être à quelque suprême sursaut de rage. Les phrases abominables sonnaient dans la salle pacifiée par l'angoisse, les phrases de massacre néronien, les phrases de meurtre vulgaire, les phrases de banale escroquerie.

Et l'homme revint s'asseoir, salué d'acclamations triomphales par ses pairs les officiers : à bon droit. Jamais M. Maurice Barrès n'aurait pu concevoir un aussi parfait professeur d'énergie ; il ne reste plus maintenant qu'à promouvoir à la dictature le superbe aventurier de race énigmatique, mais de lignée féodale et pieusement attachée au catholicisme romain : il est supérieur à Boulanger et même à Napoléon et magnifiquement incapable de tendresse, de pitié et d'émotion.

A tout prendre, je préférerais, pour que la tourbe eût un maître tout

---

lui d'indiquer au traître les autres renseignements à recueillir, nécessaires à l'État-Major allemand ». Il était raconté, dans ce même article, que cette fameuse lettre avait été dérobée en même temps que sept autres lettres de Dreyfus à Münster à l'ambassade d'Allemagne et que, peu avant le procès, Charles Dupuy, président du Conseil, avait été sommé de les rendre : ce qui avait été fait après la prise de clichés qui seront soumis aux juges de 1894 (« La Pièce secrète. La Vérité sur le traître »). Charles Roger, dans son article, allait plus loin encore dans le sensationnel. Il révélait l'existence d'une autre lettre bien plus extraordinaire encore et à laquelle fait ici allusion Quillard* : « Dreyfus était exaspéré depuis longtemps de la campagne antisémite menée par plusieurs journaux. / Très ambitieux, il se disait que, Juif, il ne pourrait jamais atteindre aux sommets de la hiérarchie qu'il rêvait. / Et il pensait que, dans ces conditions, il serait préférable pour lui de reconnaître comme définitifs les résultats de la guerre de 1870, d'aller habiter l'Alsace, où il avait des intérêts, et d'adopter enfin la nationalité allemande. / C'est alors qu'il songea à donner sa démission, à quitter l'armée. / Mais, auparavant, *il écrivit directement à l'empereur d'Allemagne*, afin de lui faire part de ses sympathies pour sa personne et pour la nation dont il est le chef, et lui demander s'il consentirait à lui permettre d'entrer avec son grade dans l'armée allemande. / Guillaume II fit savoir au capitaine Dreyfus, par l'entremise de l'ambassadeur d'Allemagne, qu'il était préférable qu'il servît le pays allemand, sa vraie patrie, dans le poste que les circonstances lui avaient assigné, et *qu'il serait considéré à l'état-major allemand comme un officier en mission en France*. / La promesse lui fut faite, en outre, qu'en cas de guerre il prendrait immédiatement rang dans l'armée allemande. / Dreyfus accepta ces conditions. / Et la trahison commença (...). » Les démentis officiels qui suivirent la publication de cette fable furent, bien entendu, considérés par la presse nationaliste comme négligeables. Sur ces pièces, dont il sera beaucoup parlé par la suite, *cf.* Dreyfus, *Carnets 1899-1907*.

16. *Cf.* la note 3 de « Déclaration au jury ».

à fait digne d'elle, Esterhazy à M. de Boisdeffre ou à M. de Pellieux. Personne du moins ne pourrait se méprendre.

Je préférerais ? non. Je sais bien que tout le monde ne consent pas à la tyrannie militaire et que la justice, la vérité et la raison auront leur jour, dussions-nous leur ouvrir, hélas ! par le fer et dans le sang lustral, une aurore rouge.

Et maintenant encore, après la haute et noble déclaration d'Émile Zola, après les indomptables plaidoiries de Labori et la harangue attristée et fière de Georges Clemenceau, prononcées parmi les hurlements de brutes en délire, après les cris de mort poussés par quinze cents bouches de Caraïbes ivres, j'aime saluer les vaincus d'hier et proclamer la gloire auguste de leur défaite, au cinquantenaire d'une révolution assassinée par l'Église et par l'armée, en ce jour du 24 février 1898.

Pierre QUILLARD

IMPRESSIONS D'AUDIENCE

J'ai assisté à toute cette dernière séance. Je n'avais rien vu de celles qui précédèrent. Souvent les journaux répandent dans le public une impression qui dépasse la réalité ; aujourd'hui, bien au contraire, les sentiments de cette foule dépassaient l'expression qu'en pourrait donner un écrivain.

Avant même que la Cour fût entrée, chacun avait déjà reconnu ses voisins. Entre gens de même nuance, on se fait de la place, on s'aide à placer ses chapeaux, pardessus, parapluies. Les antidreyfusistes dominent ; ils s'appellent eux-mêmes les « Français », par opposition aux « étrangers », et se promettent de surveiller leurs adversaires. Ceux-ci, les dreyfusistes, assez nombreux aux places assises, sont des amis personnels de Zola ou de jeunes intellectuels « pâles et parfumés », comme les décrit George Bonnamour[1], et qu'on appellera dorénavant les Alfred, puis encore des israélites. On se les montre ; on se jure de les surveiller.

Ne va-t-on pas jusqu'à redouter que des offres d'argent aient pu être accueillies par les jurés ! Évidemment, nul argument ne saurait plus valoir sur un public ainsi prévenu. Les plus naïfs partisans de Zola, ceux-là mêmes qui, il y a quelques semaines, voyaient le romancier acclamé par l'humanité entière et chef des destinées de la France, commencent à admettre qu'il pourrait bien être condamné à trois mois de prison.

Mᵉ Labori parle et l'on est unanime à reconnaître ses dons physiques prodigieux, mais cette tâche surhumaine, si elle ne brise pas sa voix, rompt tout l'ordre de son raisonnement. Il sait profiter des incidents et réplique avec une grossièreté blessante à l'avocat général, avec plus de bonheur aux huées de la foule, quand elle relève ses mots malheureux et veut les interpréter contre lui. L'auditoire, c'est une meute irritée qui, au cri de *Vive l'armée !* le rejette dans le droit chemin quand il essaie de renouveler ses attaques contre ce que le clan zoliste appelle

---

1. Dans ses comptes rendus d'audience de *L'Écho de Paris*. Georges Bec, dit George Bonnamour, romancier et critique, proche, un temps, du mouvement symboliste, s'en était séparé bruyamment en signant contre ses représentants de très cruels articles. Antisémite notoire, il s'engagea très tôt contre la révision et signa quelques brochures dans ce sens.

les « culottes de peau ». Il s'efforce dès lors de ne blesser personne, mais en même temps il cesse d'intéresser, et comme on ne voit pas son plan général, des conversations privées s'engagent. On souhaite qu'il termine et donne la parole à Clemenceau dont on espère un ton plus stimulant.

Dans cette chaleur où nous sommes debout et pressés, beaucoup se distraient à surveiller les dreyfusistes. Ils ont le bon esprit de ne pas bouger. Les femmes pourtant ne se peuvent contenir.

L'une d'elles approuve le président quand il déclare qu'« il ne permettra de manifestation ni dans un sens ni dans l'autre » ; cette approbation paraît exorbitante ; l'incident mal compris est commenté dans son entourage. Quelqu'un déclare : « Pour manifester dans un lieu français, il faut d'abord savoir le français. » La forme du nez de son compagnon est gravement commentée. Il prie lui-même cette jeune dame de ne plus bouger.

A plusieurs reprises, le président menace de faire évacuer la salle ; quelques antidreyfusistes se constituent commissaires ; ils disent : « Ne manifestez pas, on nous ferait sortir. Il faut que nous restions tous là. » C'est une petite communauté qui s'organise, qui fraternise, qui fait sa police pour le meilleur succès de la cause.

Les heures passent et on s'ennuie ; on se console en espérant Clemenceau, mais pas Albert, c'est Georges, qu'on veut[2]. Des bruits viennent du dehors : que Déroulède[3], acclamé, fait une conférence dans les couloirs ; que des masses immenses sont massées autour du palais ; que les journaux du soir sont lus à haute voix dans la rue par des hommes de bonne volonté, et que les avocats et leurs clients, s'ils sont acquittés, trouveront une ville debout et décidée à se faire justice.

Le soir tombe et apporte ce caractère sinistre auquel chacun est sensible quand on entend à travers les murs une foule enfiévrée. Labori a fini dans l'indifférence générale. Voici Georges Clemenceau.

Il faut bien le dire, si dans le public le désintéressement de Zola est nettement reconnu par la grande majorité de ses adversaires et si on considère son acte comme le témoignage fâcheux d'un amour, plus ardent qu'éclairé, de faire retentir son nom, M. Georges Clemenceau, à qui l'on attribue d'une part une vision nette et d'autre part une sensibilité assez défraîchie, ne paraît pas avoir pu partager les illusions du célèbre romancier. Et le sentiment du public lui est violemment hostile.

On croit pourtant le devoir apprécier. On goûte d'abord sa face blême et résolue ; on se félicite de son ton sec qui contraste avec la

---

2. *Cf.* la note 2 de « Chez M. Émile Zola ».

3. Paul Déroulède, poète, député de la Charente et président de la Ligue des patriotes. En 1899, après la mort du président de la République Félix Faure, il tentera un coup d'État qui échouera lamentablement et grotesquement. Acquitté en mai, il sera arrêté en juin pour complot contre le gouvernement et sera condamné à dix ans de bannissement.

bonne manière un peu vulgaire, un peu « rondouillarde » et d'ailleurs plus sympathique de Labori. Mais elle dure peu, cette admiration mêlée d'hostilité, et bientôt on se regarde avec stupeur. Aujourd'hui ceux qui connaissent M. Clemenceau ne l'ont point reconnu, et ceux qui l'ignoraient n'auront pas appris à le connaître. Très probablement, il s'était promis de séduire le jury, d'effacer le caractère antimilitaire qu'avait dès le début l'affaire et que Labori a, durant les dépositions, accentué. Il prend le ton bonhomme, perd toute domination, sans conquérir – car ce n'est pas dans sa manière, ni dans sa situation – les complaisances de l'auditoire. En vain les chefs improvisés qu'au cours de la journée l'auditoire s'est donnés essaient-ils de maintenir l'ordre. De toutes parts les lazzis partent et de toutes qualités. On remarque avec scandale un passionné qui s'est sans doute souvenu d'un des mots à succès de la semaine, à savoir qu'un général avait manqué aux débats, le général Cambronne. De quart d'heure en quart d'heure il se charge, par une interjection lancée à pleine gorge, de suppléer ce fameux guerrier. D'autres évoquent l'homme de Bournemouth... Le discours de M. Clemenceau n'irrite même pas, il déride ; et l'orateur, jadis si puissant, n'a même pas les bénéfices de l'impopularité, qui sont souvent de forcer l'attention.

Enfin un raisonnement de bouche en bouche a circulé : « Nous pouvons manifester. Que reste-t-il à entendre ? Peut-être une réplique du ministère public ? Elle sera courte, probablement, et d'ailleurs on sera bien forcé de nous faire rentrer pour le verdict. »

Ainsi, après les paroles de M. Clemenceau, d'immenses rumeurs retentissent. On ne fait pas évacuer pourtant, et brusquement l'avocat général prend la parole, exprime ce que tout le monde ressent : que la vraie question n'a pas été traitée, que le nom de M. Zola n'apparaît même plus dans la bouche de ses avocats ; qu'après avoir outragé l'armée, la défense maintenant recule et va s'abriter derrière le drapeau...

Cette brève déclaration est interrompue par de telles vociférations d'enthousiasme que l'avocat général brise court et s'assied. Chacun, avec lui, sent la partie gagnée. Comment serait-il possible que les jurés éprouvassent des sentiments différents de ceux qui emplissent et enfièvrent cette foule du prétoire, elle-même en communion avec la foule des couloirs et avec les foules extérieures ?

Quelques passionnés vont bien jusqu'à souhaiter un acquittement, parce qu'ils se figurent qu'un régime qui ne les satisfait pas, et dont M. Clemenceau, quoique momentanément vaincu[4], demeure une des

---

4. Clemenceau avait perdu, aux élections de 1893, son siège de député du Var. Panama, mais surtout les faux de Norton (*cf.* la note 13 des « Impressions d'un témoin » de Quillard), contre qui il avait gagné le procès pour lequel il s'était porté partie civile, lui vaudront, de justesse, un siège que ses adversaires avaient tout fait pour qu'il ne lui revînt pas.

expressions les plus importantes, ne résisterait pas à un tel défi jeté à la nation. Mais il y aurait des malheurs immédiats, des brutalités dont il serait détestable qu'un Zola, malgré son erreur, fût la victime. Et puis la France n'a pas un système satisfaisant à substituer, dans la République, immédiatement, au système parlementaire... Souhaitons que la fièvre nationale soit satisfaite par le verdict... Voici la Cour, le jury... Le maximum ! Je renonce à décrire le tourbillon, la fraternité, la joie de cette fin de journée. Dans cet immense délire où tous se félicitaient de voir échouer la conspiration de l'étranger, quelques cris sinistres de mort ont retenti. Je ne sais si je me trompe, on était pourtant plus heureux que disposé à la vengeance. Ah ! si c'était la fin de cette affreuse guerre civile !

Il m'est apparu avec évidence que M. Clemenceau n'était plus en mesure de remonter le terrible courant où son lourd passé le noie : mais si M. Zola veut bien abandonner la tâche qu'il s'est trop légèrement donnée, que la nation réprouve et que ses maladroits avocats ont d'ailleurs rendue odieuse, son caractère privé demeurant intact, ses nécrologues, plus tard, beaucoup plus tard, pourront parler brièvement et avec indulgence de ce grave incident qui a troublé ce pays, c'est vrai, mais où les braves gens se sont comptés, où les Français ont repris un sentiment plus fort de la patrie.

Maurice BARRÈS

ZOLA DREYFUSARD ET LA PRESSE[1]

– G. Jubin. « La Matière », *Le Jour**, 27 novembre 1897.

Dans cette ardeur à faire du dilettantisme sur la vie cristalline du vice-président du Sénat, et à prendre position dans une grave cause non jugée, on retrouve un étrange besoin, naturel à cet écrivain, de prêter la main à toute besogne destructive, de saper tour à tour les sentiments les plus nobles, de démolir les fois les plus anciennes et les plus vénérables au nom d'un vague principe de science, douteux et passager comme la science elle-même et que les savants mêmes ne comprennent pas : cette façon de sonner à tout propos l'hallali des belles choses, vertus, croyances, patriotisme, est malfaisante. Le talent de M. Zola ne devrait pas, pour le plaisir d'avoir rencontré une « matière » actuelle, lui permettre de se poser, surtout ailleurs que dans ses livres, comme le chantre joyeux des pourritures sociales et le dilettante des Débâcles nationales.

– Henri Rochefort. « Une nouvelle recrue », *L'Intransigeant*, 27 novembre 1897.

Tout en restant romancier, M. Émile Zola se fait annoncier. Il vient en effet, dans *Le Figaro*, d'ajouter à *Une page d'amour* une page d'annonces. On sait que les actionnaires du syndicat Dreyfus ne se contentent pas d'intriguer, de dénoncer et de mentir, ils raccrochent. M. Zola ayant commis l'impudence de passer sous leurs fenêtres, ils lui ont fait signe de monter, et l'embauchage s'est effectué sans résistance.

– Félicien Champsaur. « Dreyfus & Zola », *L'Événement**, 2 décembre 1897.

(...) M. Zola, aux proches origines italiennes, plaisante une nation

---

1. Nous avons pris le parti ici, pour une unique question de place, de ne donner d'extraits que de la presse quotidienne parisienne. Notons toutefois que l'essentiel des journaux de province fut antidreyfusard et que la plupart des hebdomadaires, feuilles politiques, anarchistes – *Les Temps nouveaux, Le Libertaire* – ou allemanistes – *Le Parti ouvrier* –, ou des mensuels et bimensuels, revues littéraires – *Le Mercure de France, La Plume, La Revue blanche, L'Effort, La Critique, La Revue naturiste*, etc. – furent dreyfusards. Mentionnons aussi le volume publié, quelques mois plus tard, à Bruxelles, chez l'éditeur Georges Balat : *Livre d'Hommage des Lettres Françaises à Émile Zola*, auquel contribuèrent de nombreux poètes et écrivains.

où il a pris rang de maître écrivain, mais sans les racines profondes de la race.

(...)

A son tour M. Zola entre dans la bataille sans apporter de preuves jusqu'ici, clame son affirmation « d'honnête homme ». Et, dans ce journal même, un de ses disciples, dont il faut estimer la franchise et la valeur, M. Paul Brulat, racontant une conversation avec M. Zola, a écrit : « Rien n'était émouvant comme la parole forte et grave de ce grand honnête homme »[2]. M. Zola est regardé déjà comme un puissant écrivain dont l'Académie ne veut pas[3] ; voici M. Zola, avec une spécialité nouvelle, proclamé, dorénavant, « grand honnête homme ». Grand et honnête, les deux épithètes – volontiers.

Mais enfin, beaucoup pensent autrement que M. Zola sur Dreyfus, entre autres M. François Coppée[4], qui est aussi un honnête homme. Avant-hier encore, M. Alphonse Daudet, un maître écrivain autant que M. Zola, en présence de plusieurs personnes dont j'étais, déclarait tenir pour coupable celui que M. Zola affirme innocent[5]. Alphonse Daudet pourtant est un honnête homme, lui encore. (...)

Et les sept officiers, membres du conseil de guerre, qui ont condamné Dreyfus, aussi sont de braves gens. De quel droit, si vous n'avez pas les mains pleines, Zola, de preuves indéniables, flagrantes, indiscutables, suspecter ces soldats et ces juges ? Et si vous avez ces preuves, pourquoi prolonger ainsi une agitation néfaste à un pays, créatrice de doute, de soupçon, humiliante pour un peuple devant l'étranger ? Traitez-vous une aussi grave question comme un roman publié en feuilleton dans un journal et dont chaque jour augmente graduellement l'intérêt ? Est-ce d'un honnête homme, M. Zola, ou d'un habile homme ? Est-ce d'honnêtes gens, *Figaro*, ces atermoiements ? S'il y a des preuves le devoir est de les donner toutes, *tout de suite*. L'intérêt d'une patrie passe avant celui d'un journal et de sa vente, ou le « battage » autour d'un nom et de livres énormes, même de talent.

---

2. *Cf.* p. 34.

3. Zola, en effet, s'était de très nombreuses fois présenté à l'Académie française, et, chaque fois, avait perdu face à des candidats bien moins importants que lui.

4. Après avoir songé, au cours de l'été 1897, à s'engager du côté révisionniste, le poète et académicien François Coppée avait déclaré, dans *La Patrie* du 1er décembre 1897 : « Je suis persuadé, certain, que les sept officiers qui ont jugé Dreyfus, en pleine connaissance de cause, après avoir lu et relu les pièces accusatrices ; vu les preuves palpables de la culpabilité de cet officier félon, ne se sont pas trompés. / Que les défenseurs apportent les preuves de l'innocence de leur protégé, alors on verra ; mais d'ici là, *rien* ne peut innocenter Dreyfus à mes yeux. »

5. Il l'avait dit au *Matin* : « (...) je considère ce crime de trahison comme infâme entre tous (...) et (...) je tiens jusqu'ici l'affaire comme parfaitement jugée » (28 novembre 1897).

– Paul Dollfus. « Courrier de Paris », *L'Événement*, 3 décembre 1897.

(...) M. Zola annonce qu'il va prendre la plume.

Puisqu'il a déjà publié deux articles sur l'affaire, il faut supposer qu'il les a écrits avec son doigt, comme certaines gens mal éduqués font des virgules.

Pendant ce temps à quoi servaient ces plumes ! A lui garnir le croupion, sans doute.

– Maurice Barrès. « L'Éducation nouvelle », *Le Journal*, 4 décembre 1897.

Comme signe de cette éducation nouvelle, je découpe sans prendre parti, en historien social qui veut renseigner ses lecteurs, telle virulente interprétation d'un des écrivains les mieux doués pour la spéculation philosophique et les plus autorisés parmi les hommes de trente ans. Il s'écrie : « Oh ! nous vous connaissons ! Vous, Gabriel Monod, vous trahissez hypocritement les intérêts intellectuels du pays et les jeunes esprits que l'on a eu l'imprudence de vous commettre. Et vous, Scheurer-Kestner, vous fûtes avec votre parent Jules Ferry l'auteur ou le copromoteur d'un autre mode de trahison : vous avez travaillé, après la mort déplorable de Gambetta, à faire abandonner pour la vaine politique coloniale la politique de revanche, la seule honorable pour nous, la seule aussi qui pût donner un peu d'unité à la France divisée entre les factions. Enfin, Bernard Lazare, votre qualité de juif rend fort douteux votre attachement à la France, et vos professions d'anarchisme révolutionnaire établissent trop clairement que vous répugnez à toute idée de patrie ; vous ne sauriez prendre la parole dans cette affaire nationale ; un client que vous défendez tous les trois ne saurait être que suspect... »

Il est bien évident que si M. Charles Maurras, l'auteur de ce réquisitoire [6], avait mentionné M. Zola, il n'eût manqué de faire ressortir que l'auteur de *Paris* est fils d'Italien.

– Gaston Pollonnais. « A M. Émile Zola », *Le Soir**, 6 décembre 1897.

Dans le ministère de la révision Scheurer-Kestner, vous détenez, monsieur, le portefeuille de la littérature et, à ce titre, vous êtes chargé des relations avec la presse.

Ce matin encore, vous chargiez, la plume en arrêt, sur les feuilles dans lesquelles vous n'écrivez pas ; cette presse-là est, dites-vous, une presse « en rut », une presse « de tolérance », « de mensonge », « de diffamation » (...). Naturellement, au milieu de cette fange, parmi cette

---

6. « Chronique », *La Gazette de France**, 1er décembre.

boue, un seul journal surgit honnête, admirable, vertueux, insoupçonnable, c'est celui dans les colonnes duquel bivouaquent les bataillons serrés de vos épithètes, l'armée opaque de vos pesantes indignations.

(...) Ah ! vous étiez moins fier à certains moments et le souci d'une réclame bien ordonnée vous mettait du miel au bout de cette plume qu'aujourd'hui vous trempez délibérément dans l'injure et dans la calomnie.

Pourquoi faut-il donc que, par une fatalité singulière, votre talent se soit toujours abreuvé aux sources les moins pures de notre patrimoine national ; vous avez touché à tout et votre encre a taché les sujets que vous traitiez au lieu de les anoblir : édifiant l'arbre généalogique des Rougon-Macquart, vous avez créé de toutes pièces une famille malsaine et méprisable, exemple de tous les vices, réceptacle de toutes les maladies, avec des héros alcooliques, des femmes défigurées, des vieillards gâteux, des jeunes filles équivoques et des collégiens bizarres, et vous avez dit : « Voilà la France ! »

Chacun dans le cruel inventaire de votre prose a eu, comme on dit, son paquet : pour la religion vous avez fabriqué un *Lourdes* ridicule et sophistiqué, balayant les sentiments les plus respectueux de l'âme française sous l'avalanche de vos phrases ; dans votre *Terre* vous avez évoqué des paysans menteurs, paresseux et ivrognes. *L'Assommoir* nous a révélé des ouvriers, piliers de cabaret, assassins et voleurs.

Dans *La Curée* vous avez montré la bourgeoisie cultivant l'inceste comme une plante rare et précieuse, et votre *Débâcle* a voulu souffleter l'armée comme une sorte de Sedan de bibliothèque.

Comment s'étonner dès lors que la figure de Dreyfus vous ait tenté ? Celui-là avait menti à son pays, vendu des documents à l'Allemagne, maculé son uniforme de la plus lâche des trahisons.

Vous n'avez vu là, sans doute, qu'une figure intéressante à glisser dans vos documents humains, qu'un mannequin d'espèce rare à mettre en bonne place, dans le salon carré de votre musée Tussaud d'horreurs nationales.

(...) Non ! monsieur, prenez-en votre parti, vous ne forcerez pas plus le sentiment national que vous n'avez forcé les portes de l'Académie ; la presse que vous couvrez de vos projectiles a derrière elle et avec elle la France et son armée ; elle défend contre vous la justice et le droit ; elle maintient avec la complicité puissante de l'opinion l'infranchissable barrière qui se dresse à jamais entre le traître et le noble pays dont il a trahi la confiance.

– **P. de L. « Zola sait tout », *L'Autorité**, 6 décembre 1897.**
Il était inévitable que le roi des romanciers puffistes, Zola, puisqu'il faut l'appeler par son nom, interviendrait dans l'affaire Dreyfus. Partout où il y a scandale et malpropreté, Zola apparaît car c'est un gaillard qui tire parti et profite de tout.

(...) le psychologue Zola, qui déclare connaître la vérité, pourrait faire rendre la liberté au réclusionnaire de l'île du Diable ; mais le moment n'est pas encore venu : ce sera seulement au *centième mille* qu'il se déboutonnera.

– **Jean Alquier. « Zola en colère »**, *Le Peuple français**, 7 décembre 1897.

Le côté lamentable en cette affaire, est que l'écrivain qui (...) feint l'indignation contre l'état des mœurs actuelles, est le même qui, depuis trente ans, déverse sur la France entière des tonneaux de purin.

Le misérable ! il ne s'est complu que dans la description des ignominies de la chair et, sous prétexte d'art, au lieu de discuter les grands problèmes qui agitent le cerveau humain, ne s'est préoccupé que des borborygmes qui travaillent les parties basses de l'individu...

– **Gabriel Baume. « Les Imprécations de Zola »**, *L'Autorité*, 9 décembre 1897.

Zola ne décolère plus. Les épithètes variées, d'immonde, d'infâme, de pourriture, s'accumulent dans sa bouche transformée en bouche d'égout collecteur.

C'est au gouvernement et à la Chambre qu'il en veut maintenant.

(...) Les types de femelles caressées par Zola dans ses romans : « Nana », « la Mouquette », « la Trouille » et « ce torchon d'Adèle », pâlissent à côté de la *Marianne* républicaine, dont il nous trousse les dessous si répugnants.

Nana est morte dans la pourriture. Zola entasse le fumier pour y ensevelir Marianne.

Laissons-le à son œuvre.

Mais ce n'est pas sans rire qu'on peut contempler Zola, professeur de patriotisme, professeur de vertu, s'indignant contre l'amour de l'argent et « la presse affamée de scandales, chez laquelle le souci du tirage remplace la conviction, la presse qui affole la France et travaille à sa *décomposition* ».

C'est trop d'audace chez un homme qui, plus qu'un autre, a contribué à démoraliser la foule, qui a prostitué son talent dans la fange, introduisant dans ses œuvres des épisodes sadiques, à seule fin du tirage, et qui a, pour ainsi dire, monnayé l'ordure.

– **Félicien Pascal. « La Mentalité de M. Zola »**, *Gil Blas**, 10 décembre 1897.

On avait la sensation, à la lecture des œuvres régulièrement successives de M. Zola, qu'il allait, de plus en plus, se fermant à l'atmosphère morale de son temps. Son intervention intempestive, dans l'affaire Dreyfus, a rendu éclatante la cause obscure de cette stérilité de son œuvre obstinée et toujours forte. Sa mentalité n'est pas trempée aux mêmes sources que la nôtre. Sa sensibilité n'est pas de la même matière vibrante que notre sensibilité. Il exprime trop peu des alertes fiertés et des sursauts idéals de l'âme française. C'est pourquoi, en une crise où toute la fierté de notre race s'insurgeait contre l'atteinte infligée à la réputation de clairvoyance et d'honneur des chefs de notre armée, M. Zola, trop docile à son instinct, s'est aveuglé un peu témérairement sur l'infaillibilité trop restreinte de son sentiment personnel et de ses lumières. Et c'est pourquoi, à mesure que l'entassement de son œuvre grandit, la solitude, autour de lui, étend sa marée plus vaste.

Ce qui n'empêche pas que la bonne foi de M. Zola et son désintéressement, en cette affaire, demeurent hors de doute, autant que la vigueur coutumière de son talent.

– **Camille Mauclair. « Écrivains, mais citoyens ! »,** *L'Aurore,* **13 décembre 1897.**

Pour être intervenu, en tant qu'écrivain indépendant et citoyen libre d'exprimer son avis, dans les affaires actuelles, M. Émile Zola est, depuis quelques jours, traîné dans la boue par des plumitifs de diverses basses-cours. Non seulement on l'affirme payé par un syndicat hypothétique, non seulement on l'accuse de chercher une réclame, comme s'il n'en bénéficiait pas sous toutes les formes connues depuis des années, mais encore on découvre subitement que ses ouvrages ont corrompu le siècle. Étrange retour du destin ! L'affaire Esterhazy nous suscite des moralistes parmi les gazetiers les plus tarés. Les amis du uhlan *in partibus* se voilent la face devant la Mouquette et répudient *La Débâcle.*

(...)

Les écrivains sont des citoyens, leur droit est de se mêler hautement de ce qui se passe, et nous prétendons, nous, qu'en cela tout au moins, M. Zola ne sortit pas de son rôle mais s'y maintint au contraire. On n'est pas obligé, parce qu'on a le goût de la langue purement française, de se désintéresser des affaires de son pays !

– **Lucien Millevoye. « Une cause perdue »,** *La Patrie,* **4 janvier 1898.**

Si Zola de Tarascon fait toujours « son affaire » de la réhabilitation et de la délivrance de Dreyfus, nous devons charitablement le prévenir qu'il a grand tort de s'endormir, car la cause de son intéressant protégé, perdue devant les premiers juges, qui prononcèrent à l'unanimité la terrible et flétrissante sentence, perdue devant l'opinion, perdue devant la Chambre, perdue devant le Sénat, perdue devant le général de Pellieux, perdue devant le commandant Ravary, sera très vraisemblablement, dans quelques jours, perdue encore, et, cette fois, perdue sans appel possible à aucune juridiction nouvelle, devant le conseil de guerre qui aura à s'occuper de ce scandale.

– **Lucien Millevoye. « La Dernière de Zola »,** *La Patrie,* **14 janvier 1898.**

Je ne rêve pas. J'ai sous les yeux la lettre que M. Zola écrit ce matin au président de la République[7]. Il s'est rencontré un journal parisien pour la publier. Si le ridicule tue encore dans notre pays, ce journal en mourra. Les dernières limites de l'invraisemblable, de l'absurde, du grotesque, sont dépassées. (...)

En recevant cette prodigieuse épître, le chef de l'État a dû s'abandonner à la plus franche hilarité. M. Zola n'a rien à craindre, le rire désarme : nous voilà tous désarmés. Nous ne demanderons même pas l'application de la loi sur les aliénés. Zola est fou, c'est certain, comme Scheurer est gâteux. Mais ni l'un ni l'autre ne nous paraissent dangereux. Cette affaire prenait décidément des aspects trop sombres. Les fronts se contractaient, les poings se crispaient. L'éclat de rire qui va retentir dans toute la France produira une heureuse détente. Il ne devra pas cependant nous faire oublier les responsabilités et les devoirs.

Les manœuvres criminelles du syndicat ne resteront pas impunies ; et c'est de ce côté que nous obligerons les pouvoirs publics à tourner leurs investigations, à faire la lumière et la justice.

- **Eugène Tavernier. « La Maladie de M. Zola »**, *L'Univers***, 14 janvier 1898.**

(...) aucune juridiction n'est compétente pour apprécier des actes de ce genre. Autrefois la justice aurait pu rendre service à un tel écrivain, et par suite à la société, en le frappant. Aujourd'hui, c'est la médecine seule qui peut intervenir pour enfermer cet immondice vivant.

Du reste l'opération sera facilitée par l'opinion publique, prise enfin de dégoût, et qui repousse l'ignoble et ridicule Zola.

- **Fernand Xau[8].** *Le Journal*, **14 janvier 1898.**

On sait l'admiration que nous avons, au *Journal*, pour le génie littéraire de l'écrivain dont nous publions, en ce moment, une des œuvres maîtresses[9]. J'ai enfin pour l'homme une vive amitié ; mais, et à cause de ces deux raisons mêmes, je tiens à dire, comme directeur du *Journal*,

---

7. « J'accuse !... »

8. Fernand Xau, directeur du *Journal* et du *Gil Blas*, dont les extraits ici cités ne laissent planer aucun doute sur ses convictions, fut, un temps, bien moins ferme. Au tout début de la campagne de Zola, flairant une bonne affaire, il avait tenté, contre la « forte somme », de s'attacher les services du romancier pour qu'il publiât dans ses colonnes, plutôt que dans celles du *Figaro*, les articles condamnés si vertueusement ici. Ensuite, dans ses deux journaux, derrière un souci de prudente objectivité et des affirmations répétées de respect de la chose jugée, il publia une très favorable enquête sur Scheurer (*Journal*, 14 et 15 novembre) et donna des fac-similés d'écritures d'Esterhazy et du bordereau (*Journal* du 17 novembre) dont la mise en regard, malgré un commentaire plus prudent encore que le précédent, faisait éclater, par l'absolue identité des écritures, la culpabilité du uhlan.

9. *Paris.*

que l'article qu'il vient de publier est une mauvaise action au point de vue patriotique et que le *Journal*, fidèle à sa ligne de conduite, se doit à lui-même et doit à ses lecteurs de protester hautement contre des accusations injustifiables.

Il est particulièrement regrettable et pénible de voir un homme de la conscience de Zola, un écrivain de sa valeur, se fourvoyer dans une campagne où l'homme et l'écrivain ne peuvent que compromettre la considération légitime dont ils jouissaient et qui ne saurait profiter qu'aux pires adversaires de l'armée et aux plus détestables ennemis de la France [10].

– **Non signé. « J'accuse... »**, *La Gazette de France*, **14 janvier 1898.**
Voilà ce que les juifs ont fait de ce malheureux Zola !

Ils l'ont transformé de candidat maniaque à l'Académie, en derviche tourneur.

Il espère aller en cour d'assises !

Est-ce bien là qu'il y aurait lieu de le conduire ?

Ne serait-il pas plus juste de poursuivre Zadoc Kahn [11] en détournement de romancier !

La frénésie de Zola montre les ravages de l'action des juifs dans nos milieux français.

– **J. B. « Zola – Scheurer – Jaurès »**, *La Croix**, **15 janvier 1898.**
On a laissé envahir la France par la Maçonnerie, que personnifie Zola ; par le protestantisme allié de la juiverie, que personnifie Scheurer-Kestner ; par le socialisme révolutionnaire, que personnifie Jaurès.

On a permis à Zola de railler nos croyances, d'outrager notre foi, de s'en prendre à notre Dieu même ; on lui a permis de corrompre la jeunesse par des récits immondes, de saper la famille et de nier la patrie.

(...)

Le mal est fait, ainsi qu'il en résulte du factum de cette jeunesse

---

10. Octave Mirbeau, l'écrivain bien connu et qui sera un ardent dreyfusard, interviewé par *L'Aurore* au sujet de ces quelques lignes de Xau, déclarera : « Xau est mon directeur, et je l'aime beaucoup. Mais en raison de mon amitié même, j'ai le droit – et je ne m'en suis pas caché – de dire qu'il a commis envers Zola un acte d'inconvenance. Je ne lui reproche pas d'avoir des idées autres que celles de Zola. Je lui reproche seulement de les avoir exprimées sur un ton qui ne convenait pas. Il était tenu à la déférence envers un homme qu'il connaît assez pour savoir que Zola est un grand honnête homme et qu'il ne commet pas "une mauvaise action". Et puis son génie, voilà tout, n'est pas celui de Xau » (15 janvier. Repris par Pierre Michel et Jean-François Nivet dans Mirbeau, *L'Affaire Dreyfus*, Paris, Librairie Séguier, 1991, pp. 50-51).

11. Le grand rabbin.

intellectuelle qui, sans principes et sans foi, s'est trouvée sans forces pour résister aux entraînements de Zola.

Tous ces hommes, ignorants de ce qui s'est passé au conseil de guerre de 1894, n'en protestent pas moins contre la violation des formes juridiques de ce procès, et n'en demandent pas moins la révision[12].

Pourquoi la violation des formes juridiques ? Parce que Zola la dénonce. Pourquoi la révision du procès ? Parce que Zola la veut.

Ils ne croient pas en Dieu ; mais ils croient en Zola.

– **Henri Rochefort. « Zola martyr »**, *L'Intransigeant*, **15 janvier 1898.**

(...) Zola, qui connaît mieux que personne ses intérêts, n'aurait pas sollicité lui-même la faveur de comparaître en justice, s'il n'avait pas compris tout l'avantage que lui procurera le changement de son rôle de jocrisse et de calomniateur en celui d'opprimé.

Il a simplement tendu au ministère un piège, dans lequel celui-ci est tombé. Mais si Zola était affolé par ses gaffes successives, Méline ne l'était pas moins par l'annonce de l'interpellation de Mun, qui menaçait d'écrabouiller le cabinet en même temps que le syndicat[13].

Le pauvre président du Conseil est allé au plus pressé et, avec cette bravoure dont il a déjà donné tant de preuves, il a sacrifié Zola à son portefeuille, sans réfléchir qu'il allait ainsi créer autour de l'ami du traître l'agitation habilement et ténébreusement entretenue autour du traître lui-même.

– **Jean Allemane. « A Zola »**, *L'Aurore*, **16 janvier 1898.**

Citoyen,

L'acte que vous venez de commettre vous honore d'autant que depuis un certain temps l'égoïsme paraît être devenu un culte et la platitude un principe.

Rompant avec ce milieu, vous avez fait bon marché de votre quiétude, du trouble que votre intervention allait apporter dans vos travaux ; sans barguigner, vous avez craché aux puissances du jour les dures vérités qui les ont affolées.

Au nom de l'avant-garde qui, depuis longtemps, fait tête à la meute qui se dispose à vous faire payer cher votre audace, je vous salue, convaincu que de plus autorisés vous salueront au nom de la science ; quant à moi, c'est au nom du travail et du socialisme révolutionnaire que je vous crie : Bravo et courage !

---

12. Tel était l'objet de la première liste de protestation que publiait *L'Aurore* depuis la veille. Il paraîtra, à partir du 16, une seconde liste, complément de la première, qui ne demandait pas la révision mais demandait à la Chambre de « maintenir les garanties légales des citoyens contre tout arbitraire ».

13. *Cf.* la note 1 de « Réponse à l'assignation ».

– Paul de Cassagnac. « Les Deux Misérables », *L'Autorité*, 17 janvier 1898.

L'œuvre sinistre des Scheurer et des Zola porte atteinte à tout ce qu'on aime, à tout ce qu'on respecte : à la justice, à l'honneur, à l'armée, à la patrie.

C'est à l'*île du Diable*, à côté de *lui*, rivés à *lui* par un boulet, comme les galériens jadis, qu'il faudrait pouvoir envoyer ces deux *honnêtes* gens !

Leur place est là.

– Édouard Drumont. « Finissez-en !... », *La Libre Parole*, 17 janvier 1898.

(...) [« J'accuse !... »], pris isolément, n'est qu'une opinion ; c'est une sale opinion exprimée salement, je le reconnais, mais c'est une opinion comme le malheureux vautré dans la fange du ruisseau est un homme, comme la vieille prostituée, cuvant son absinthe ou son vin au coin d'une borne, est une femme. Quant à moi, si j'étais juré, je n'hésiterais pas à acquitter Zola dans les conditions où il est poursuivi.

Les anarchistes, pour lesquels Zola était implacable jadis, n'ont jamais écrit des choses aussi malpropres, mais ils en ont écrit de plus violentes. Ils ont traité nos officiers de « brutes galonnées, d'assassins en uniforme, de gardes-chiourme en épaulettes ». Cela a-t-il troublé le pays ?

Ce qui est inouï, ce qui est effrayant, ce qui explique l'affolement qui commence à gagner la nation tout entière, qui remplit déjà la rue de tumulte, de vociférations et de huées, c'est la campagne, c'est le syndicat organisé. C'est l'audace effrénée de cette bande de juifs prétendant, à force d'outrages, faire capituler la justice militaire et la contraindre à réviser un arrêt qui, selon l'expression de Billot lui-même, a justement condamné un misérable qui livrait nos secrets à l'ennemi [14].

– Savioz. « La Liberté de conscience », *La Fronde**, 19 janvier 1898.

(...) depuis qu'autour du puissant écrivain et à cause de sa courageuse attitude, hurlent ses envieux, gronde la meute des politiciens en quête de popularité, ironisent et mentent ceux qui, en secret, rêvent du dictateur toujours attendu, (...) on peut juger de l'envergure de l'homme, en voyant de combien de coudées il dépasse ses détracteurs.

Jamais pour ceux qui réfléchissent, pour ceux épris de vérité et de

---

14. En d'autres termes, Drumont, comme le fera Judet le mois suivant (*cf. infra*, p. 123), demandait la confection d'une loi en vue de réprimer, sur le modèle des lois antianarchistes de 1893-1894, l'association et l'entente dans un but « criminel ».

justice, l'auteur des *Rougon-Macquart* ne fut plus grand, plus admirable.

(...) ce qui nous importe, c'est que, si une injustice a eu lieu, si une infamie a été commise, tous les hommes, et même un homme de la valeur de Zola, puissent protester, en réclamer la réparation, sans être traduits devant les tribunaux, sans qu'une armée de gâte-sauce, de galopins et d'imbéciles, conduits par quelque inconscient maniaque, aient le droit de troubler leur vie.

– **Lucien Victor-Meunier. « Franchise »,** *Le Rappel**, **20 janvier 1898.**

A l'heure où nous sommes, chacun doit avoir son opinion faite, et l'ayant, doit la dire ; car qui n'est pas pour nous est contre nous ; qui n'est pas pour la révision est contre la lumière, contre la vérité.

Quant à nous, dont quelques-uns, paraît-il, estiment excessive la « violence », nous disons simplement qu'ennemis irréconciliables du gouvernement qui se tait ou qui ment, nous n'accorderons notre confiance, nous n'apporterons notre concours qu'au gouvernement qui dira tout.

– **Lucien Millevoye. « Avertissement »,** *La Patrie,* **28 janvier 1898.**

L'internationaliste qui, furieux de n'avoir pu forcer les portes de l'Académie française, a juré de faire retomber sur la France tout entière la vengeance de son orgueil blessé, (...) le Vénitien, le triplicien Zola, exprime, ce matin, dans une lettre écrite au ministre de la Guerre, son désir bien arrêté d'étendre et de compléter le scandale.

Il reproduit textuellement les injures ignobles qu'il a adressées nominativement aux chefs de l'armée et aux membres des deux conseils de guerre ; il demande un débat public sur ce qu'il appelle « ses accusations ».

Il entend qu'il lui soit permis de déchirer et de souiller le drapeau tricolore en plein prétoire, comme ses dignes acolytes l'ont déjà fait à la salle du Tivoli-Vaux Hall[15].

Il se propose avant tout de prendre devant le jury la défense du traître et de transformer son banc d'accusé en tribune retentissante d'où il réclamera la révision du procès Dreyfus.

(...) si le gouvernement ne se décide pas, avant le procès, à braver les menaces du syndicat, à l'accabler par une déclaration ou par une publication décisive, il court au-devant de complications intérieures et extérieures qui peuvent compromettre non seulement l'unité nationale, l'ordre social mais la paix de l'Europe.

---

15. Le 17 janvier 1898, au Tivoli-Vaux Hall, une centaine d'anarchistes et d'allemanistes étaient venus porter une contradiction musclée lors d'une réunion publique organisé par les antisémites (Guérin, Millevoye et Dubuc).

– Sigismond Lacroix. « Contre la loi », *Le Radical*,* 29 janvier 1898.

M. Méline croit avoir pris toutes ses précautions : d'un article de sept cent cinquante lignes, où il n'y a pas une ligne qui ne contienne une accusation précise, il détache quinze lignes pour les soumettre au jury. Dans un article où tout se tient, où les accusations de la fin sont expliquées, justifiées par celle du commencement, il découpe savamment quelques passages, non les plus graves de tous, et il entend obliger l'auteur à restreindre sa preuve, parce qu'il lui a plu, à lui de restreindre sa poursuite... (...)

M. Méline refuse d'appliquer la loi : il préfère laisser peser sur des généraux, des officiers supérieurs, des juges militaires, les accusations les plus graves ; il ne veut permettre ni à l'accusation de prouver la vérité de ses assertions, ni aux inculpés de se défendre. Pour étouffer, une fois de plus, un débat qu'il redoute, il oublie que les accusations formulées par un homme de la taille de M. Zola ne disparaîtront pas, tant qu'il n'aura pas été mis en demeure de les appuyer par des preuves. Les officiers, les soldats qui ont lu la lettre de M. Zola se souviendront de ce qu'il a écrit ; ils se souviendront aussi qu'on n'a pas osé le poursuivre, ou que, le poursuivant à contrecœur, on aura fait tout au monde pour l'empêcher de faire sa preuve. Et ils se diront, et le peuple dira avec eux, qu'on a eu peur de ce qu'il pouvait prouver.

Restreindre, gêner, interdire malgré la loi la preuve de la diffamation, ce n'est pas défendre l'honneur des diffamés, c'est légitimer contre eux tous les soupçons.

– Henri Rochefort. « Aides pécuniaires », *L'Intransigeant,* 29 janvier 1898.

Nous n'avons cessé de répéter, ici même, que l'intervention de Zola dans la campagne Dreyfus était une simple et vulgaire réclame de la librairie. Il a pesé les dangers auxquels il s'exposait en prenant violemment parti dans cette bagarre et les bénéfices littéraires ou financiers qu'il devait en retirer ; et, son choix étant fait, il a adressé à M. Félix Faure la lettre où il accuse tout le monde, vous, moi, n'importe qui, de forfaiture, de mensonge et de faux.

Mais, en s'avançant aussi témérairement, il savait mieux que personne le peu qu'il risquait.

– Maurice Barrès. « La Protestation des intellectuels ! », *Le Journal,* 1er février 1898.

Si [Anatole] France est le plus gentil des Français que ses désillusions patriotiques ont jeté dans l'irritation, Zola c'est une tout autre affaire ! Il ne souffre pas de voir trop clair dans l'atmosphère française ; il s'y agite sans rien y voir. Et c'est fatal : profondément, par ses racines, il n'est pas un Français.

Les esprits perspicaces l'ont toujours senti. Et France précisément a bien marqué, à plusieurs reprises, ce qu'il y a d'étranger, voire d'anti-national dans le talent du maître des *Rougon-Macquart*. Nous sommes plusieurs qui, profondément attachés à la littérature traditionnelle, au génie national, logique et nuancé, avons toujours répugné aux qualités exotiques de ce grand travailleur.

J'ai trop le respect de mes aînés qui sont bons ouvriers et je sais trop bien ce qu'il en coûte de mettre debout une œuvre pour altérer, – fût-ce dans cette bagarre et quand lui-même traite de canailles tous ceux qui ne partagent pas ses illusions, – la figure de M. Zola. Il ne s'agit pas de savoir s'il se croit un Français. Je ne fais pas le procès de ses intentions, qui d'ailleurs importent peu. Sa volonté, ses professions de foi sont des éléments négligeables dans une analyse sérieuse. Nous ne tenons pas nos idées, nos sentiments de la nationalité que nous adoptons (...). Parce que son père et la série de ses ancêtres sont des Vénitiens, Émile Zola pense peut-être en Vénitien.

(...) si la France est le lieu où Zola a conquis son immense notoriété littéraire, il a pourtant toute sa vie été en combat avec l'opinion publique. Cela tient à son amour incontestable des bagarres, mais surtout au fait qu'il n'est pas adapté à notre milieu ; il pense différemment de nous ; continuellement il nous heurte. Peu d'hommes depuis vingt ans ont été plus vilipendés par la presse et par les salons. L'Académie lui préfère des subalternes. En dépit de ses satisfactions de vente, il a pu se sentir comme un paria dans notre pays. Et s'il a l'oreille fine, il entend plutôt Haro ! que Bravo ! Enfin, *La Débâcle*, l'un de ses plus vigoureux romans, où il raconte (d'un point de vue plus humain que français) la guerre de 1870, a profondément froissé le monde militaire. L'écrivain, plus d'une fois, a pu souffrir d'une hostilité qui ne s'exprimait pas toujours avec les moyens que préfère justement un homme de cabinet. Toutes les professions ont leurs susceptibilités ; elles les témoignent à leur manière. M. Zola prit en dégoût profond la manière militaire. Il devait saisir la première occasion de dire leur fait à des officiers. Et comme il a sa bravoure professionnelle, lui aussi, il s'entêtera, s'entêtera, bien moins soucieux du fond de l'affaire que de son allure propre, sourd à des susceptibilités que son âme étrangère ne ressent pas, excité par un atavisme que notre âme nationale ignore, et bien décidé à prolonger comme un tonnerre vengeur sur la France le bruit de cette casserole qu'il s'est attachée et qui pour lui, depuis vingt ans, est le bruit de la gloire [16].

---

16. A cet article, dans lequel Barrès raillait les « demi-intellectuels », juifs, protestants, nigauds et étrangers, Le Pic, dans *Les Droits de l'Homme** du 17 février 1898, répondit : « Le profond et puissant auteur des *Déracinés*, aura été une fois de plus prophète. Il avait prédit que le prétoire où se déroule le procès Zola deviendrait le bruyant tréteau des ratés en quête de réclame, des demi-intellectuels à l'affût de popularité. Eh bien ! nous les avons vus défiler hier tous ces produits malsains d'une instruction démoralisatrice, ce Paul Meyer,

– **Mark Twain.** Interview au *New-York Herald* reproduite dans
L'Aurore, 1ᵉʳ février 1898.

C'est une grande figure que celle de Zola combattant seul son splen-
dide combat pour sauver les restes de l'honneur de la France. Je suis
pénétré pour lui du plus profond respect, et d'une admiration qui ne
connaît pas de bornes. Des cours ecclésiastiques et militaires, compo-
sées de lâches, d'hypocrites et de flatteurs du temps présent, on peut
en produire un million chaque année, et il y aura du reste : il faut cinq
siècles pour produire une Jeanne d'Arc ou un Zola.

– **Pierre Bertrand.** « Passionnons les débats », *Les Droits de
l'Homme*, 3 février 1898.

M. Émile Zola mériterait encore d'être loué, même s'il y avait eu
moins de courage et de dévouement dans son entreprise, même s'il
n'avait pas fait à l'esprit de justice de difficiles sacrifices, même si
l'injurieux esprit de M. Barrès ne s'était efforcé de le diminuer : uniquement pour avoir passionné les débats. Ils se traînaient avant son
intervention dans une sorte d'indifférence torpide et turpide que trou-
blaient seulement quelques voix fières et quelques organes métalliques.
Et pas plus qu'on ne parlait, on n'agissait. D'une part, tandis qu'il
suffisait à l'ignorante foule d'entendre certains salariés clamer des
convictions dont elle ignorait le prix ; de l'autre, l'élite se satisfaisait
hautainement, et un peu lointainement, d'affirmer ses principes : les
principes éternels du droit. Bref, on ne dépassait qu'à peine le ton des
habituelles polémiques, on ne s'injuriait que du bout des lèvres, on ne
se fâchait presque pas. Le pays semblait ne point comprendre l'importance capitale de la question posée devant lui.

(...) D'une heure à l'autre, tout changea. C'était presque le sommeil,
c'est presque la guerre ; mais ce sommeil était mortel et cette guerre
sera féconde, car elle se livre pour la justice (...).

– **Gaston Méry.** « Huysmans et Zola », *La Libre Parole*, 4 février
1898.

J'étais allé trouver Huysmans pour causer avec lui de son beau livre,

---

qui, sur la fin de sa vie, n'est encore que directeur de l'École des chartes ; ce
Grimaud qui déjà grisonnant, est à peine professeur à l'École polytechnique ;
ce Louis Havet, que soixante ans d'études n'ont pu faire que professeur au
Collège de France, tous ils sont venus parader devant les jurés et dans le trem-
blement ému de leurs voix, à travers l'angoisse de leurs doutes, Barrès, froid et
puissant analyste, a mis à nu l'appétence des places, la chasse aux croix d'honneur, la poursuite maladive d'un siège de député. Ah ! c'est qu'on ne le trompe
pas, lui, le grand intellectuel ; le psychologue dont le discernement aigu découvrit le génie de Boulanger et la vertu de Pollonnais » (« Demi-intellectuels »).

qui vient de paraître, *La Cathédrale*. (...) Tout à coup le nom de Zola tomba dans la conversation.

« (...) Il s'est imaginé que, lorsque lui, Zola, disait "Dreyfus est innocent", toute la France répondrait : *Amen !* Je suis persuadé que l'effet a été tout opposé. Des hommes qui n'avaient jamais réfléchi sur le cas du traître, et qui peut-être se seraient laissés aller à douter de sa culpabilité si on leur avait montré quelques apparences de preuves, ont été tellement surpris de la misère des arguments présentés, que bien loin de croire à l'innocence du condamné, ils se sont mis à suspecter la bonne foi de ses défenseurs. Je ne nie pas, pour ma part, la bonne foi de Zola. Je trouve qu'en faisant ce qu'il a fait, contre Lourdes et contre l'armée, il a été imbécile, parce qu'il a été contre son but. (...) »

– Comment expliquez-vous alors son intervention ?

– J'y vois des causes diverses. D'abord Zola est anticlérical (...). Ensuite, Zola s'est toujours incliné devant les puissances de l'argent. Et voilà déjà deux raisons : Zola s'est mis du côté des juifs par haine de l'Église et par amour pour le veau d'or. On pourrait trouver à son acte quelques autres mobiles ; mais ce seraient encore dans les mêmes sentiments qu'ils auraient leurs racines. L'orgueil de Zola est démesuré. Obsédé qu'il est que, depuis la mort de Victor Hugo, il est le plus gros bonhomme de la littérature française, il a dû se dire que, du moment qu'il parlerait, sa voix couvrirait celle du pays tout entier. [17]

– **Paul Brulat.** « **Appel aux écrivains** », *La Lumière**, 7 février 1898 [18].

Que chacun, par la plume ou par la parole, fasse entendre le cri de sa conscience.

L'écrivain ne doit point se réfugier dans le culte exclusif de son art, quand sont en jeu les grands intérêts de l'humanité. C'est surtout à lui qu'incombe la grande tâche d'ennoblir la société, de rechercher la vérité, de faire œuvre de progrès.

Nos pères nous donnèrent l'exemple ; ils furent les précurseurs de la Révolution, ils eurent la gloire de créer un état nouveau de l'humanité.

Émile Zola continue, aujourd'hui, la grande tradition. Nous avons tous le devoir de le soutenir, de le revendiquer, avec courage et fierté, comme l'un des nôtres, de combattre à ses côtés.

(...) Levons-nous pour réclamer la lumière, pour défendre le droit, pour sauvegarder les conquêtes de l'esprit national, pour barrer la route au despotisme militaire dont nous sommes menacés.

Émile Zola nous donne l'exemple qu'enseignèrent aussi Voltaire,

---

17. Joris-Karl Huysmans, écrivain bien connu, fut, il n'est pas inutile de le rappeler, un de ceux qui, quelques années plus tôt, fréquentaient autour de Zola les « soirées » de Médan.

18. Repris dans *Violence & raison*, pp. 47-54.

Rousseau, Victor Hugo. Suivons-le, suivons nos pères qui ont élevé la profession d'écrivain à la hauteur d'une mission humaine et sociale.

– **Ernest Judet**. « **Trois ans après la trahison II** », *Le Petit Journal*, 7 février 1898.

Puisque M. Zola et ses complices se coalisent pour nous jeter dans de telles impasses, nous leur refuserons le plaisir de nous y casser la tête. Leur tactique n'a qu'une issue, *L'Assommoir* national. Il reste encore dans notre pays assez de sang-froid et de virilité pour mettre hors d'état de nuire l'écrivain sans pudeur, le rhéteur sans âme et sans scrupule, l'inventeur maladroit de marionnettes qu'il transporte de ses romans dans le domaine de la politique et de la justice.

Dans son infatuation étourdie, ignorant tout de l'affaire Dreyfus, il a commis la sottise de crier : « J'en fais mon affaire. » Devons-nous payer cet accès de vantardise du prix qu'il met à son recul, de notre sécurité ébranlée pour tirer sa vanité d'embarras ? Lui servirons-nous de rançon ? S'il est prisonnier, entre la crainte du ridicule et l'impuissance de tenir sa promesse, a-t-il le droit de tout démolir pour se sauver de sa propre débâcle ?

Cet anarchiste littéraire n'est plus qu'un prédicateur de guerre civile et de guerre étrangère, un précurseur d'émeutes et de démembrement. Nous ne voulons pas de la tyrannie de son pédantisme incendiaire et de la dictature criminelle de sa plume.

C'était trop de ses livres orduriers. Il passe aux actes : Halte-là !

– **Henry Céard**. « **Lettre à Zola** », *Le National**, 10 février 1898.
– A bas la France.

On souhaitait la lumière. La voici tout entière. La vérité était en marche. Nous savons maintenant où elle aboutit. Maintenant, les esprits réservés ne sauraient plus hésiter et demeurer incertains dans l'opinion à concevoir et dans le parti à prendre. On les a dupés quand on leur a laissé entendre qu'il s'agissait d'une virtuosité esthétique et justice éternelle. La justice, personne ne s'en préoccupe ! Dreyfus, personne ne s'en soucie ! le travail auquel on se livre, c'est le travail de destruction de la France [19].

– **Robert Charlie**. « **La Politique** », *La République française**, 10 février 1898.

Toute l'affaire Zola tient dans ce cri, échappé hier à l'orgueil dément de l'auteur de *Nana* :

---

19. Henry Céard était un disciple de Zola et un fidèle des fameuses « soirées » de Médan. A cet article, Paul Alexis, autre « médaniste », répondit dans *Les Droits de l'Homme*, le 21 février : « (...) M. Céard parle en pion, (...) en bourgeois naïf, et [est] épouvanté par le vent de révolution qui souffle. Renégat du document humain ? Non, pas précisément. Mais ici, ce document humain, il passe

« Je ne connais pas la loi ! je ne veux pas la connaître ![20] »

Peut-il, désormais, subsister un doute sur l'état d'esprit de cet homme, que de trop grands succès littéraires ont grisé, que des échecs mérités ont affolé ensuite, et qui, maintenant, sans boussole, s'en va à la dérive, au gré de ses haines personnelles, jouet d'insensées colères que lui-même avoue ne plus pouvoir dompter ?

– Ernest Judet. « Les Conspirateurs en cour d'assises », *Le Petit Journal,* **10 février 1898.**

Zola, acclamé par tous nos ennemis, idole de tout ce qui a juré de détruire notre unité et de briser notre puissance, s'est offert le luxe d'injurier, de calomnier, avec la justice militaire, l'armée nationale.

Luxe en vérité peu coûteux ! Car on lui a donné pour châtiment les tréteaux qu'il voulait. Au lieu de lui imposer le silence, on lui accorde la publicité officielle d'un débat où ses diatribes ne courent qu'un risque platonique, hors de toute proportion avec le crime.

C'est un anarchiste : il devait être poursuivi pour propagande des faits d'anarchie et pour complot. Au lieu de ce traitement logique, commandé par les bravades et les menées du chef des insurgés, on élargit son droit à l'insulte, au désordre, aux provocations dissolvantes dont l'étranger lui a confié la mission chez nous.

– Henry Céard. « Lettre à Zola », *L'Événement,* **11 février 1898.**

Levez-vous, mon cher Zola (...).

Dites que, coûte que coûte, aux dépens même de votre amour-propre, qui, ailleurs, trouvera sa revanche, vous voulez faire cesser une agitation qui compromet l'existence même du pays, et que, citoyen français, ayant exprimé ses idées, sous sa responsabilité, vous déclinez toute alliance avec ces étrangers dont l'acclamation vous compromet

---

à côté, ne l'aperçoit pas, et pour cause : pauvreté de cœur ! Insuffisance d'instrument ! Au lieu de rechercher dans l'attitude même de M. Zola – attitude héroïque, par conséquent incompréhensible pour M. Céard –, que ne l'a-t-il cherché là où il est, justement dans ce drame extraordinaire, ce choc de passions terribles, ce fouillis de vérités maquillées, cet embrouillamini de récits contradictoires. Eh ! tout cela sans doute est mouvant, incertain, obscur – effarouchant pour la vue courte et l'analyse étroite. Mais, à travers toutes ces fumées, la vérité n'en était pas moins là, pressentie d'abord, puis entrevue par un homme de génie. Et l'homme de génie peu à peu nous la dévoile, tandis que, victime de sa médiocrité, [M. Céard] passe dans le camp de ceux qui ont intérêt à ne pas voir, parle comme s'il était de l'État-major. Courage Boisdeffre, Gonse, de Pellieux, du Paty, (...) ministre Billot, voilà du renfort pour sauver l'honneur (...) » (« Pour Zola »).

20. C'est ce qu'avait répondu Zola au président Delegorgue qui lui demandait s'il connaissait l'article 52 de la loi de 1881. La citation donnée par le journaliste est incomplète. Zola avait ajouté : « en ce moment-ci » (*Procès Zola,* I, p. 86).

et vous répugne. Dites que malgré ce qu'on a eu le deuil d'entendre dans les corridors de la cour d'assises, le cri de « Vive Zola ! » n'est pas aujourd'hui synonyme de « A bas la France ! »

Dégagez votre personnalité restée inattaquable de la promiscuité d'individus qui, plus tard, feront peut-être plus mauvaise figure que vous sur le banc des accusés. Avouez votre dégoût pour ces documents de sycophante si opposés à votre amour de la vérité. Les jurés vous entendront, et rendront le verdict de respect et de justice par où la France trouvera quelque apaisement. Sans cette précaution qui peut venir de vous seul, votre condamnation ou votre acquittement serviraient de signal aux pires catastrophes. Vous pouvez les empêcher.

Il est encore temps, mon cher Zola !

– **Jean Ajalbert.** « **Vive Zola** », *Les Droits de l'Homme,* **13 février 1898**[21].

Ils crient : *A bas Zola...*

C'est-à-dire : A bas la lumière, à bas la vérité, à bas la liberté, à bas la justice, à bas la foi et le courage civiques.

Ils crient : *A bas Zola...*

C'est-à-dire : A bas la République ! A bas la Révolution !

Ils crient : *A bas Zola...*

C'est-à-dire : Vive le sabre ! Vive le goupillon !

Eh ! bien, personne n'a plus le droit de se taire. Il ne s'agit plus des romans de Zola ; il s'agit de l'histoire de la France.

Puisque Zola, par sa mâle audace et son formidable élan, personnifie aujourd'hui la tradition française dans ses vertus les plus généreuses, ne laissons pas la canaille rouge et noire pousser impunément son cri de réaction.

Vive Zola ! – contre la tourbe des rues, les souteneurs embrigadés par la Sûreté, qui poursuivent, en vociférant, le fiacre d'Yves Guyot ou la voiture de Labori.

Et les journaux décorés applaudissent et encouragent ; ils disent : « l'admirable peuple de Paris ! »

Le peuple, ça ! Allons donc ; il travaille, le peuple ; il n'a point le temps d'aller hurler sur les quais !

Vive Zola ! – contre les intrépides citoyens qui se jettent à mille contre un (...).

A la veille du XXᵉ siècle, toute une presse criminelle excite la populace à se ruer, poings tendus, sur un écrivain, gloire de notre pays ! (...)

Vive Zola ! – contre cette presse syndiquée dans le mensonge, dont les patrons ou les valets s'attachent d'un ruban rouge (...).

---

21. Repris dans *Sous le sabre*, pp. 73-83.

Vive Zola, oui, contre les Boisdeffre, les Billot, les d'Ormescheville, les du Paty de Clam (...).

Vive Zola ! – contre la bureaucratie armée, contre laquelle nous ne désarmerons pas.

Vive Zola ! – contre le képi jésuitique et contre la mitre qui absout les coups d'État.

(...) *Vive Zola !* – l'Italien, contre Maurice Barrès, le déraciné, qui se plantera où l'on voudra de lui comme député.

(...) *Vive Zola !* contre les indifférents qui ne veulent rien entendre (...).

(...) *Vive Zola ! Vive Zola !* crions-le, pour tous ceux qui doivent se taire, aussi, ligotés par la nécessité de vivre, des milliers et des milliers qui sont avec nous, – seraient brisés demain, s'ils manifestaient publiquement ! (...)

Vive Zola, Vive Zola ! – Contre tous ces ministres de la honte, qui jettent la Nation dans les plus effroyables compromissions cléricales et militaires.

(...) *Vive Zola !* – contre le digne commandant Esterhazy, l'exemple de l'Armée, que les juges du conseil de guerre pressent contre leur poitrine, l'ami de Drumont (...).

Vive Zola ! – contre le président Delegorgue, qui ferme la bouche à toute question de la défense sur l'affaire Dreyfus, mais laisse tout dire aux culs rouges du Cherche-Midi, en représentation à la Cour d'assises.

Vive Zola, vive Zola !

contre tous ceux qui hurlent :

A bas Zola !

– **Alphonse Humbert. « Ce que crie la foule »**, *L'Éclair*, **13 février 1898.**

(...) la foule crie : à bas Zola ! tout bonnement parce qu'elle est honnête, parce qu'elle est patriote, et que son patriotisme et son honnêteté sont révoltés par ce qu'a dit et fait M. Zola, par ce qu'ont dit et fait les étranges justiciers qui se sont associés à sa campagne.

On feint de croire que la foule en veut à M. Zola de son origine italienne. Pardon ! (...) Si M. Zola s'était contenté d'écrire *Nana* et *Pot-Bouille*, personne ne lui demanderait s'il est de Venise ou de Pantin ; mais M. Zola s'est mêlé de réhabiliter un condamné pour trahison. On pouvait concevoir que ce rôle le tentât, tant qu'il a pu douter des actes abominables imputés au condamné de 1894, mais (...) quand il n'a plus été possible de soutenir qu'il y avait erreur judiciaire et que c'était un bon Français qui gémissait, là-bas, dans la casemate de l'île du Diable, quand l'infamie de Dreyfus enfin a été certaine, M. Zola n'a pas eu la loyauté de désarmer. Par entêtement vaniteux, pour n'être pas amené à reconnaître qu'il s'était trompé, que cette foule, cette foule dont il méprise l'ignorance et l'inintellectualité, avait eu plus de bon sens et de clairvoyance que lui, il est demeuré le défenseur entêté d'un misérable qui avait essayé d'ouvrir à l'invasion allemande les chemins de sa patrie ; et, pour soutenir ce rôle détestable, il a triché avec sa propre conscience, il a maquillé ses colères, il a mis un faux nez à ses indignations, il a simulé des fièvres qu'il ne sent pas, il a feint de s'emballer sur des questions de procédure, auxquelles il n'entend goutte ; bref, il a placé le souci de son orgueil au-dessus de celui de la sécurité nationale, et, pour se sauver du ridicule, il a joué avec des intérêts que tous les bons Français tiennent pour sacrés et intangibles. Comment la foule ne hurlerait-elle pas ?

- **Jean Rameau. « Les Victoires de M. Zola », *Le Gaulois**, 14 février 1898.**

Nous le tenons le héros insigne, l'enfant de la victoire qui a porté notre renom aux quatre coins de l'univers. Et ce héros c'est M. Zola, M. Zola, lui-même, l'a proclamé devant la cour d'assises. A lui, nos arcs de triomphe ! Il tire à cent mille exemplaires, il sert la France avec sa plume, et la Postérité est priée de ne pas hésiter entre lui et nos généraux [22].

(...)

Certes nous croyons, nous aussi, qu'on peut servir son pays autrement qu'avec une épée. Chateaubriand, Lamartine, Victor Hugo ont fait autant pour la réputation et la grandeur de la patrie que les guerriers les plus valeureux ; mais quelque bonne opinion que M. Zola ait de lui-même, il ne s'imagine certainement pas que sa gloire est faite des mêmes rayons que celle de ces génies. Ses histoires de blanchisseuses ne feront pas pâlir *La Légende des siècles*. Car il faut bien le lui dire puisqu'il semble l'oublier : ce n'est pas du tout pour l'amour de l'art qu'on achète ses livres. Ceux de M. Georges Ohnet [23], apparemment, c'est pour leurs qualités qu'on les lit. Mais les siens, c'est surtout pour leurs défauts. Il n'est pas si difficile, en somme, de gagner des batailles de papier et de vendre à cent mille exemplaires. Il n'y a souvent qu'à ne pas être dégoûté.

---

22. Lors de l'audience du 11 février, à de Pellieux qui s'était indigné que fussent accusés sept officiers « dont plusieurs ont versé leur sang sur le champ de bataille pendant que d'autres étaient je ne sais où », Zola avait répliqué, indigné : « Il y a différentes façons de servir la France... (...) On peut la servir par l'épée et par la plume. M. le général de Pellieux a sans doute gagné de grandes victoires ! J'ai gagné les miennes. Par mes œuvres, la langue française a été portée dans le monde entier. J'ai mes victoires ! Je lègue à la postérité le nom du général de Pellieux et celui d'Émile Zola ! Elle choisira ! » (*Procès Zola*, I, pp. 284 et 285-286.)

23. Georges Ohnet, romancier à succès, auteur du célèbre *Maître de forges*. Les symbolistes, en cette fin de XIXᵉ siècle, avaient pris l'habitude, pour railler une certaine littérature, bien-pensante et aseptisée, de parler de « romans ohnêtes ».

– **Abbé Garnier. « Le Cas de M. Zola et l'Union nationale »**, *Le Peuple français*, **15 février 1898.**

Le plus grand mal que les Juifs et les francs-maçons, leurs complices, souvent inconscients, nous aient fait, c'est de nous diviser, de nous apprendre à nous entre-déchirer et à nous combattre. Diviser pour régner, telle fut toujours leur politique.

Pendant que nous étions absorbés par nos querelles intestines, sur les choses religieuses, politiques ou sociales, ils faisaient, eux, leur travail souterrain contre la France. (...)

Nous pourrons avoir une certaine reconnaissance pour Zola, si par ses stupides attaques contre l'armée, il produit la fédération puissante de tous ceux qui disent : Non, non, les Juifs n'arriveront pas à démembrer la France, comme ils l'ont juré. Nous relèverons une à une toutes les ruines qu'ils ont faites, et pour y réussir, oubliant tous nos griefs personnels, nous resterons franchement et loyalement unis.

– **Jean Ajalbert. « Si j'étais »**, *Les Droits de l'Homme*, **17 février 1898** [24].

La chose jugée, c'est la loi ! – voilà derrière quoi misérablement s'est retranché le syndicat Esterhazy.

La justice, c'est le droit ! – voilà ce que nous répondrons.

Zola condamné, ce serait dans la tradition. Victor Hugo l'a écrit :

« Avoir écrit, cela motive les verrous. Où mènerait la pensée, si ce n'est au cachot ? »

Cela date de l'Empire.

Espérons que cela ne sera pas – après vingt-sept ans de République.

– **Paul Alexis. « Pour Zola »**, *Les Droits de l'Homme*, **21 février 1898.**

(...) les heures troublées passeront. J'ai confiance dans l'avenir. Je crois à l'expansion inévitable de la vérité et compte sur la justice définitive.

Quand tout sera rentré dans l'ordre, l'acte d'héroïsme intellectuel de Zola sera enfin apprécié à sa valeur. Un revirement subi, déjà prévu, certain et irrésistible aura lieu. Et nous assisterons alors à ce spectacle : ceux qui, aujourd'hui, le « conspuent » – dans la rue ou dans les feuilles – seront les premiers à le saluer très bas. Et ils se fâcheront même toujours si quelqu'un, doué d'un peu de mémoire, s'avise alors de leur rappeler le lâchage de jadis, – même leurs remontrances mielleusement empoisonnées.

---

24. Repris dans *Sous le sabre*, pp. 129-140.

– D. Kimon. « Zola suggestionné par les Juifs », *Le Peuple français*, 22 février 1898.

(...) Zola fait entièrement partie de cette tribu de judaïsants et de dénationalisés. Il a cessé d'être français, si toutefois il l'a jamais été, pour devenir Juif. Son âme et son cerveau ne lui appartiennent plus ; les passions et les idées lui arrivent toutes faites, avec une impétuosité suggestive. Israël lui donne des ordres auxquels il n'est pas maître de désobéir.

L'étrangeté de ses emportements, sa manie convulsive d'accusations et d'injures, son étalage personnel et son emphase ont tellement étonné, qu'on s'est demandé s'il n'était pas fou. Non, Zola n'est pas positivement un aliéné ; il est tout simplement un Aryen dégénéré en Sémite, c'est-à-dire un homme dégradé. Ses manifestations n'émanent pas d'une intelligence libre mais d'un automate cérébral.

– Fernand Xau. « É. Zola et l'affaire Dreyfus », *Gil Blas*, 22 février 1898.

Il est (...) hors de doute que Zola a commis une lourde faute et assumé une effroyable responsabilité, responsabilité qu'il aggrave encore aujourd'hui, en apportant l'appui de son nom et de sa personnalité, de son talent et de son autorité – les mots sont de lui – à une cause internationale, et en persistant à envelopper dans une série d'accusations ceux qui, étant les chefs de l'armée, en sont l'incarnation vivante.

Nous ne sommes point des pourvoyeurs de tribunaux (...). Nous ne réclamons point avec férocité l'application des lois contre les coupables, quels qu'ils soient, et, personnellement, je ne puis oublier que *Gil Blas* a été une tribune où Zola a bien voulu faire entendre sa voix puissante au moment où il avait l'honneur et la gloire de ne faire que de la littérature. (...)

Quant aux conséquences de l'ingérence de Zola et du procès actuel, demandez à nos industriels, demandez à nos commerçants – petits et grands – de vous les indiquer. Leur réponse sera tristement éloquente. Les affaires sont nulles, les hôtels sont vides, les théâtres ont vu leurs recettes diminuer dans des proportions énormes et il ne s'agit pas ici des seuls endroits de plaisir ou de distractions ; demandez aux grands magasins, demandez aux petits boutiquiers où en sont leurs recettes.

Je sais que c'est là un sujet bien terre à terre et qu'il ne tient que peu de place dans l'opinion des intellectuels.

Tout de même, j'incline à croire que, dans la vie sociale, il a une certaine importance, – car maintenant tout ne finit plus, en France, par des chansons, mais tout se termine par des impôts.

– Fernand Xau. « Le Procès Zola », *Le Journal*, 22 février 1898.

(...) elle n'est décidément point heureuse, cette défense de Zola ; elle est même tout à fait pitoyable[25]. C'est un mauvais morceau de littérature dont la dialectique échappera à tous. Et ce ne sont pas les quelques descriptions auxquelles, par une coquetterie de romancier, Zola s'est cru obligé, qui toucheront les jurés, encore qu'ils en soient les héros...

Que dire, que penser enfin de cette affirmation nouvelle de l'innocence de Dreyfus, sinon qu'elle terrifie par l'assurance et l'inconscience avec lesquelles la formule son auteur ? Hier, il nous disait : « J'accuse », et il n'a rien prouvé ; aujourd'hui, il dit : « Je jure », et il n'appuie son serment sur rien.

Il sait, il constate que le pays n'est pas avec lui, que le Parlement le réprouve, que la conscience publique le condamne. Mais, sa vanité, – cette vanité dont on m'avait tant parlé et à laquelle je me refusais à croire – lui interdit de confesser son erreur, de reconnaître ses torts. Il tient à se solidariser jusqu'au bout, lui, l'homme intègre, l'illustre auteur de tant d'œuvres maîtresses, avec les défenseurs du traître. Il ne nie pas les ruines accumulées par sa campagne, il les enregistre même ; mais il annonce qu'il continuera, que d'autres le suivront : ne faut-il pas qu'il ait le dernier mot ? Périsse le pays plutôt que la cause qu'il a embrassée (...).

Pauvre grand homme, que nous aimions tant (...), que ceux qui se servent de vous et de l'« autorité » qui s'attachait à votre nom et que vous avez pu fort justement invoquer, vous conduisent au plus sinistre des naufrages, au risque de faire sombrer non seulement votre gloire, qui fut incontestable, mais votre honneur qu'il ne dépendait que de vous de laisser incontesté...

– **Sigismond Lacroix.** « **Sous la menace** », *Le Radical*, **23 février 1898.**

Les jurés doivent décider en « hommes probes et libres », dit la loi.

Or, tous les moyens sont employés, d'un certain côté, pour que les jurés de l'affaire Zola ne se sentent pas libres au moment de délibérer.

Et de quel côté ? Du côté de ceux qui, depuis le commencement, ont empêché la lumière de se faire, qui ont accumulé les équivoques et les mensonges, qui veulent à tout prix obtenir la condamnation de l'écrivain dans l'espoir d'étouffer enfin l'affaire Dreyfus.

La bonne foi de M. Émile Zola, sa conviction ardente et sincère, éclatent si puissamment et dans la lettre au président de la République, qui motiva sa comparution devant les assises, et dans l'allocution si noble, si émouvante qu'il a adressée hier au jury, qu'une condamnation n'apparaît comme possible qu'à force de pression.

Cette pression, il faut le dire, s'exerce formidablement ; sous toutes les formes, on essaie de faire peur aux jurés.

On a commencé par insinuer que « le syndicat » tenterait de les

---

25. « Déclaration au jury. »

corrompre ; ce qui signifiait ceci : « Si vous acquittez, nous dirons que vous avez été corrompus, achetés par le syndicat[26]. »

Simultanément, on publiait tous les jours, avec ostentation, les noms et les adresses des jurés ; cela au moment où des cris de mort retentissaient sur le passage des prévenus et des témoins, où des magasins étaient pillés et saccagés (...).

On a dit aux jurés, des généraux ont dit aux jurés : « Nous sommes l'armée, nous sommes la patrie. Quiconque s'attaque à nous, à quatre ou cinq d'entre nous, outrage l'armée et fait tort à la patrie. » (...)

Le jury verra, d'un côté, M. Zola, grand écrivain, riche, tranquille, honoré, se jetant dans la mêlée sans autre ambition que celle de servir une cause qui lui semble juste (...).

En face de lui qu'y a-t-il ? Un président qui mutile les débats, ferme la bouche à l'avocat, interdit de parler de l'affaire Dreyfus quand ce sont des témoins civils qui veulent révéler ce qu'ils savent mais laisse les témoins militaires parler ou se taire à leur gré. Des témoins qui invoquent le secret professionnel quand on les interroge ; mais qui rapportent, quand il leur plaît, le contenu des pièces secrètes, sans d'ailleurs qu'il soit permis de vérifier leur assertion[27].

On a vraiment dépassé la mesure de l'impartialité et de l'intimidation. On en est arrivé à ce point que les jurés n'ont plus qu'un moyen pour démontrer qu'ils sont encore libres : acquitter.

– **Lucien Millevoye. « Zola ! »,** *La Patrie,* **23 février 1898.**

Après la lamentable déclaration que M. Zola a lue au jury de la Seine, on peut dire « pour cet homme tout est perdu..., surtout l'honneur ».

Il a accusé ignominieusement un innocent du crime d'un autre.

---

26. Ce même jour, la presse dreyfusarde révélait d'ailleurs qu'une lettre, grossière manœuvre, avait été envoyée aux jurés pour leur annoncer qu'ils toucheraient dix mille francs s'ils se prononçaient pour un acquittement.

27. Ce qui ne gênait absolument pas la presse antidreyfusarde. Dans *Le Soir* du 18 février, Gaston Pollonnais avait écrit : « (...) on sait (...) que, depuis ce procès [celui de 1894], une nouvelle pièce plus accablante encore pour Dreyfus que celle qui lui ont valu sa condamnation est en lieu sûr. / Mais ces révélations assenées comme autant de coups de massue sur le littérateur du syndicat n'ont pas encore convaincu maître Labori auquel ne suffit pas, paraît-il, la parole d'honneur de M. le général de Pellieux. Le défenseur paie d'audace ; il refuse de croire ; il met sa serviette d'avocat sur ses yeux pour ne pas voir ; il lui faut la pièce en question même sans doute si elle déchaînait la guerre » (« Un homme »). Ce dernier argument était courant. C'est celui, par exemple, qui avait été utilisé pour justifier la transmission illégale de la pièce « Ce canaille de D... » en 1894. Utilisé ici, concernant le faux Henry, l'argument est tout à fait extraordinaire. Le texte ayant été donné par de Pellieux, on ne voit pas bien en quoi le fait de pouvoir contrôler le document eût changé quelque chose et déclenché une guerre.

Il a osé, au nom de la *justice*, au nom de l'*humanité*, jeter la plus atroce calomnie à la tête d'un officier qui venait d'être lavé de tout soupçon par un conseil de guerre..., et il a outragé ce tribunal. Il a écrit cette infamie : « Les juges militaires ont acquitté *par ordre*. »

Il a diffamé nominativement les hommes les plus respectés de notre armée et il a grossièrement insulté des généraux qui ont la mission sacrée d'assurer la défense du pays.

Il a fait la joie de nos pires ennemis. Il a ouvert sur la France des écluses de boue. Toute la canaille cosmopolite, toute l'écume international, est avec lui. Il est encouragé, soutenu dans sa hideuse campagne, par le *militarisme* étranger. Le caporalisme prussien proclame son génie universel et le césarisme germain n'a pas de meilleur auxiliaire.

(...) Sa défense personnelle est un défi stupide à l'honnêteté, à la loyauté françaises. Il a prêté serment solennel de l'innocence de Dreyfus. Cette innocence, il a eu douze jours de débats publics pour la prouver. Il n'a pas une preuve. On se demande même s'il a une conviction. Ce collaborateur de Bülow[28], s'il n'est pas un fou, est un traître.

– La Ramée. « Chronique militaire », *La Croix*, 23 février 1898.
Malgré les tristesses de ce procès Dreyfus-Zola – ô l'accouplement de ces deux noms devant l'histoire, quel châtiment pour l'auteur de *La Débâcle* ! – je n'ai pu m'empêcher de rire un brin, en lisant ce cri qu'un fol orgueil a fait pousser à Émile Zola : « Mes victoires à moi, ce sont mes livres. Entre ces deux noms : de Pellieux et Zola, la postérité choisira ! »

Oui, malheureux sans-patrie, auteur infâme, démoralisateur de plusieurs générations de cette race française qui vous renie aujourd'hui avec éclat, oui, la postérité saura choisir entre le soldat loyal, esclave de son devoir, et le vil pamphlétaire, insulteur de notre armée, qu'acclament sans relâche les Italiens, ses compatriotes, ainsi que les juifs de Mayence et de Francfort. Et l'avenir dira ce que pèsent dans la balance de l'impartiale histoire, l'œuvre malsaine du romancier, déjà mort pour tous aujourd'hui, et l'épée vaillante et sans tache du général qui a su venger ses pairs en rappelant la conduite odieuse de Zola pendant l'année terrible, du soldat qui a craché à la face du défenseur de Dreyfus le mépris que l'armée tout entière voue à son œuvre antifrançaise.

Ah ! merci, mon général, merci au nom des soldats dans le rang que la discipline rend muets ; merci au nom des vieux troupiers que votre mâle parole a consolés et réconfortés au cours de ce triste procès !

(...)

« Pourquoi, dans ce procès, tout ce qui est mécontent ou disqualifié, s'est-il déclaré pour Dreyfus ? Pourquoi l'Allemand, l'Anglais, l'Italien,

---

28. Le ministre des Affaires étrangères allemand.

le métis, sont-ils pour Dreyfus ? Pourquoi tout ce qui est vendu, aigri, payé, sali, contaminé, taré, est-il pour Dreyfus ?[29] »

Allons, décidément, si l'on n'était pas antisémite, on le deviendrait, ma parole, quand on constate l'action désagrégeante des juifs étrangers implantés chez nous ! Drumont avait bien raison de crier bien haut : « La France aux Français ! »

– *L'Aurore.* Déclaration collective publiée dans le numéro du 24 février 1898.

Émile Zola nous a fait le très grand honneur de soutenir, dans *L'Aurore*, le bon combat pour la justice et pour l'humanité.

Nous le remercions de nous avoir associés à son œuvre.

Nous sommes fiers d'avoir lutté avec lui contre le huis clos dans le huis clos, contre l'illégalité des jugements militaires, contre les abominables manœuvres de l'état-major, contre l'insolence du sabre.

Nous sommes fiers d'être frappés avec le glorieux défenseur de la vérité.

Et, comme lui, nous sommes bien tranquilles, nous vaincrons.

– Yves Guyot. « Zola condamné ! », *Le Siècle**, 24 février 1898.

Croient-ils que *Le Siècle* se taira ? Que nous allons nous résigner ? Ils se trompent.

En 1893, j'ai combattu la *tyrannie socialiste*.

En 1898, le danger, c'est la soldatesque jésuitique que nous venons de voir à l'œuvre.

Nous allons recommencer Voltaire, puisque nous nous retrouvons en présence de cerveaux de l'Ancien Régime. Nous allons essayer de réapprendre aux Français la tolérance dans les mœurs et la liberté dans la loi.

Contre les socialistes, il y a cinq ans, j'invoquais la Déclaration des droits de l'homme.

Je l'invoque aujourd'hui contre un gouvernement qui la trahit, une majorité qui l'ignore, une réaction cléricale qui ne l'a jamais admise et une soldatesque qui considère la France comme un pays conquis.

Les jurés qui ont condamné Zola ont porté les clefs de la société civile aux généraux de Boisdeffre et de Pellieux.

Mais il reste de libres citoyens qui les désavouent : et nous grouperons contre leurs audacieuses prétentions les citoyens qui entendent que la République française ne soit pas livrée aux prêtres et aux généraux.

---

29. Il s'agit là, non signalée, d'une citation de Maurice Talmeyr publiée dans *La Revue hebdomadaire*.

– Ernest Judet. « La Flétrissure de Judas », *Le Petit Journal*, 24 février 1898.

Son caractère comme son talent, pétri par la réclame, toujours en dehors du but, méconnaît le bien, comme il a méconnu le beau, à plus forte raison la justice.

La justice est un équilibre.

Or Zola est un déséquilibré, un démesuré, un détraqué.

Il a voulu nous imposer *son affaire* Dreyfus comme une pièce en cinq actes en un volume de copie. Obstination relativement inoffensive au théâtre et en librairie, mais dangereuse d'abord, bientôt fatale en politique intérieure ou extérieure.

La morgue et la folie de Zola se sont combinées avec la rouerie et le crime de ses complices qui sont ses meneurs ; l'ensemble forme un gaz délétère et détonant dont nous n'avons pas le droit de tolérer ici les manipulations et la menace.

La folie est une excuse : mais sachons nous garder des aliénés. Écartons-les de la société ; car, unis aux gredins, ils amènent irrésistiblement l'anarchie et l'invasion.

Le jury l'a compris.

Il a fait ce qu'il a dû ; il a fait ce qu'il a pu.

Il a fait ce qu'il a dû en condamnant la révolte de Zola contre sa patrie.

Il a fait ce qu'il a pu, la loi dont il disposait ne comportant que des pénalités inefficaces.

Il a donné le maximum, un an de prison.

Ce maximum légal prouve encore combien le procès lui-même abaissait l'autorité de la poursuite en la réduisant à une simple affaire de diffamation. Car ce maximum ne pouvait garantir une expiation.

Ce n'est pas une sanction : elle serait trop médiocre au prix du forfait.

Ce n'est pas un châtiment : il serait insignifiant.

Ce n'est qu'une flétrissure.

C'est la flétrissure de Judas !

– Fernand Xau. « Le Procès Zola », *Le Journal*, 24 février 1898.

Dura lex, sed lex. M. Zola, comme tout le monde, n'a donc qu'à s'incliner. Pour nous, nous n'aurons pas le triomphe insolent. C'est avec satisfaction sans doute que nous enregistrons cet arrêt, non par passion, non par rancune ou par haine, mais par patriotisme. Nous sommes heureux de cette solution parce qu'il fallait, pour l'honneur de ce pays et de l'armée qui l'incarne, qu'elle eût lieu. (...) Mais, maintenant que la conscience publique a obtenu la légitime satisfaction à laquelle elle avait droit, et que les premiers nous n'eussions pas admis qu'on la lui refusât, nous est-il permis de faire un appel à l'homme que la justice vient de frapper et de lui dire :

– La faute que vous avez commise a été lourde et les conséquences en ont été terribles pour ce pays. D'instinct, et à l'origine, un mouvement irréfléchi de générosité a pu fausser votre jugement et vous inciter à commencer cette campagne malsaine. C'était l'époque de vos premiers articles. Puis, avec la ténacité et la confiance en soi que vous possédez, vous avez voulu avoir d'autant plus raison que le public vous donnait tort. C'est alors qu'éclate votre manifeste : *J'accuse*. Et c'est à partir de ce moment que se creuse profondément le fossé entre le pays et vous, et que ceux qui vous aiment le plus se doivent à eux-mêmes de déclarer qu'ils ne peuvent vous suivre dans une voie lamentable. Le procès a lieu ; les violences de la défense, la pauvreté de vos arguments, l'absence de preuves irritent encore davantage l'opinion – et Paris, enfiévré, la province, bouillonnante, se dressent devant vous (...).

Puis, le verdict est rendu. Il est inexorable. Quel est votre état d'esprit ? Je l'ignore. Et, si vous ne comptez pas profiter des trois jours que la loi vous accorde pour vous pourvoir en cassation, vous avez, en tout cas, vingt-quatre heures pour maudire vos juges. Usez, si vous le voulez, de ce droit : mais, après, ressaisissez-vous. Écartez les conseils pernicieux de ceux qui, n'ayant rien à perdre, essaieront de vous compromettre davantage. En France, tout s'efface vite, et quand cette malheureuse affaire n'existera plus qu'à l'état de souvenir – ce qui ne sera peut-être pas éloigné si la sagesse domine – on aura bientôt oublié l'auteur de « J'accuse » pour ne se souvenir que de l'illustre et glorieux écrivain que vous êtes.

– **Paul Alexis. « Vive Zola ! »**, *Les Droits de l'Homme*, **25 février 1898.**

C'est une honte : ils ont osé...

(...) C'est une honte pour l'institution du jury – dans l'indépendance duquel j'avais la naïveté d'espérer ! – Une honte pour le Parquet et la Magistrature, qui a dépassé la mesure de la servilité en appliquant le maximum ! Une honte pour le ministère Méline, qui a déchaîné les « cannibales ! » ! Une honte pour l'État-major et les bureaux de la Guerre ! Enfin une honte pour l'armée faite pour gagner de moins faciles batailles, c'est-à-dire une honte pour nous tous, car l'armée c'est la patrie elle-même. Enfin une honte pour notre époque ! (...)

Quant à Émile Zola, condamné par ordre, mais condamné volontaire, qui, par ce temps de veulerie, s'est sacrifié pour la justice, le voilà plus grand.

– **Paul Brulat. « Notre devoir »**, *Les Droits de l'Homme*, **25 février 1898.**

Quelle que soit notre indignation, quelle que soit notre tristesse, à l'heure présente, nous pensons qu'il était peut-être nécessaire, pour notre cause, que le gouvernement fît déborder la coupe en ajoutant cette suprême iniquité à toutes les iniquités précédentes (...).

Nous ne regrettons rien, nous continuerons la lutte avec la conscience profonde qui nous anime, avec la conviction inébranlable que tôt ou tard, la vérité triomphera.

– Paul de Cassagnac. « Le Châtiment. Au jury », *L'Autorité*, **25 février 1898.**

Bravo ! les jurés ! bravo !

C'est la France entière, la vraie France, celle des patriotes, la France qui croit, qui travaille, qui se bat, c'est cette France-là qui vous applaudit à outrance.

Au cri déjà si réconfortant de « Vive l'armée ! » se joint un autre cri non moins vibrant, celui de « Vive le jury ! »

Car vous avez vengé l'armée, vengé la justice, lavé les outrages et renvoyé chacun à sa place : les juifs au Ghetto maudit, le Vénitien Zola en prison, l'armée à l'honneur.

Vous devez être joliment fiers du devoir accompli.

– Henry Céard. « Après le procès », *Le Gaulois*, **25 février 1898.**

(...) depuis de longs mois, au cours de la rédaction de son récent roman, M. Émile Zola, la plume à la main, avait exalté l'avènement futur de la fraternité, de la bonté et de la justice. Dès lors, on conçoit aisément comment, tout en sueur encore de son plaidoyer écrit, trouvant hors de la littérature une occasion de pratiquer les vertus dont il se jugeait naturellement le missionnaire et l'apôtre, il soit entré en guerre, et soit devenu le champion du pire des condamnés d'État.

Il a apporté dans la bataille les mêmes procédés qui lui furent si heureux dans le roman : un égal grossissement des circonstances et des faits. Les documents ressemblent identiquement à ceux-là qu'il a l'habitude de compulser. Ils sont incertains, tous de seconde main. Mais il sait depuis longtemps la manière de les utiliser dans le but qu'il se propose. Et puis, dans ce débat de jurisprudence, comme dans les lettres, n'est-il pas soutenu par cette illusion énergique qu'il « fait de la vérité » ?

Il se passionne contre l'erreur présumée d'un conseil de guerre, avec la même violence dont il se passionnait pour la défense d'une pièce ou la défaite d'un critique. Il aime la bataille au point qu'il la cherche même hors de sa spécialité. Pour ce combat il emploie les armes qui lui furent toujours familières, les métaphores dont il a le secret, les prosopopées dont il a pris l'habitude.

Au point de vue purement esthétique, qu'on veuille bien relire le pamphlet condamné aujourd'hui, le pamphlet intitulé « J'accuse ». Les experts en analyse littéraire reconnaîtront qu'il est établi dans une forme essentiellement symétrique à la forme des articles ordinaires de M. Émile Zola. Si le sujet a changé, la facture est demeurée imperturbablement la même. Il a toujours à son service la même abondance d'amplification. Le stratagème est le même de ramener toujours, soit au commencement, soit à la fin d'un paragraphe, l'ironie ou la vitupération qu'il abat sur ses contradicteurs (...) Quand il dit : « J'accuse » ou quand il dit : « Je jure », il expose ses griefs et ses affirmations sans preuve par le même redoublement de formule et de mots. Il traite ses adversaires politiques de la même façon dont il traitait ses adversaires littéraires, qu'il combattait déjà au nom « de la lumière et de la vérité ». Le critique n'a rien inauguré dans la stratégie, et voici le romancier qui reparaît aussi complet, total, invariable, quand M. Émile Zola trace les portraits de MM. du Paty de Clam, Billot, Mercier et autres, (...) « sans connaître les individus », c'est lui qui l'avoue, selon les besoins de sa thèse, par intuition et d'après des ouï-dire.

Mais les querelles littéraires demeurent sans sanction légale. Une attaque, une riposte, et, les vivacités passées, les poignées de main arrivent vite, en attendant l'oubli. La patrie n'est jamais menacée au cours de ces algarades. Or, c'est ici que par ses habitudes volontaires d'internement hors de la vie, M. Émile Zola ne nous semble pas avoir prévu les conséquences extra-littéraires de sa polémique, et les fautes auxquelles l'entraînait son encrier : fautes contre la nation et singulièrement plus inquiétantes que les erreurs de plume.

L'étude de celle-là dépasse notre droit avec notre émotion. Nous n'imaginons pas par quel renversement de la tendresse cet homme que, personnellement, nous avons connu si tendre, a pu écrire des phrases capables de provoquer des catastrophes, et de mettre en branle pour le mal toute cette misérable humanité qui le trouva toujours si prudent.

Et les larmes aux yeux, devant un jugement que M. Émile Zola a rendu inévitable, nous évoquons le souvenir de Gustave Flaubert, quittant sa table de travail pour aller faire l'exercice avec les gardes nationaux de Rouen, à l'heure où les Allemands menaçaient d'envahir la ville.

– Lucien Descaves. « Le Livre à faire », *L'Aurore*, 25 février 1898.
Un (...) livre est désirable, et ce livre-là, j'espère bien qu'Émile Zola va l'écrire, tout chaud. Il a été le héros de cette cause célèbre ; qu'il en soit maintenant l'historien ; qu'il nous donne, à son tour, ses impressions d'audience, dans une œuvre retentissante et belle, comme son acte de courage. Il a l'habitude des gros tirages ; on peut lui prédire qu'il ne la perdra pas, en ajoutant ce volume aux quarante autres déjà publiés.

Close la série des Rougon-Macquart, terminée la trilogie : *Rome, Lourdes, Paris*, Zola pouvait hésiter entre plusieurs études qui le sollicitaient, car, de se reposer, il n'était pas question ; s'il y eut jamais, dans les lettres françaises, un professeur d'énergie, on conviendra que c'est celui-là.

Voilà Zola ôté d'embarras. J'imagine qu'il sait aujourd'hui ce qu'il va faire et ce qu'on attend de lui. On lui a maintes fois reproché la documentation négligée de ses livres (...).

On ne formulera toujours pas, cette fois-ci, contre Zola, la première de ces accusations. On reconnaîtra qu'il était bien placé pour observer directement. Aussi bien, de là vient peut-être l'indignation des officiers qu'on a dérangés. Défilant à la barre devant Zola, qui n'avait qu'à se baisser pour en prendre, des notes, ces beaux militaires se sentaient déjà piqués tout vifs, par la plume de l'écrivain qui s'est épargné ainsi bien des courses. On lui apportait la matière ; il n'a plus maintenant qu'à la pétrir. Je compte, nous comptons qu'il n'y faillira pas.

On a vingt-quatre heures, au Palais, pour maudire ses juges. Ceux-ci, plus larges et exactement informés, ont donné à Zola un an pour les peindre en pied, de face et de profil, assis et debout – couchés aussi, messieurs les jurés.

(...) Dans un an, Zola sortira de prison avec le manuscrit du livre vengeur qu'il y aura mûri et dont l'apparition coïncidera, c'est infiniment probable, avec la révision du procès Dreyfus. Alors les cannibales de ces jours derniers pourraient bien exécuter leur danse du scalp au milieu du mépris public, retourné contre eux ; et si le livre est à clef, ce sera pour qu'il nous soit permis de siffler à notre tour.

Acquitté, Zola pouvait avoir des scrupules ; condamné, rien ne le retient plus.

Ce livre donc, il nous le doit, il le doit à ses partisans et à ses ennemis mêmes. Il le doit, cet Italien, à M. l'avocat général Van Cassel, qui porte un nom si éminemment français ; il le doit à l'impartialité du président Delegorgue, à la bonne foi des témoins, à la bravoure et à l'intelligence des douze bourgeois devant lesquels il a comparu ; aux corbeaux qui croassaient autour de la cour d'assises, aux chiens qui aboyaient aux roues de sa voiture ; aux ânes qui opinaient des oreilles, dans la foule salariée. Et il le doit encore, ce livre, aux généraux Gonse et de Pellieux, dont c'est la seule chance de laisser un nom...

A l'âge qu'a aujourd'hui Zola, Victor Hugo avait écrit *Les Châtiments*. Mais il n'est pas trop tard pour dire à la société qui meurt, de quoi elle meurt. Par là, le grand romancier peut couronner son œuvre et s'égaler à l'impérissable poète.

Des courtisans s'étonnaient un jour, devant le tsar, qu'il tolérât les exhortations prophétiques de Tolstoï.

– C'est un apôtre, dit le tsar, je n'ai pas envie d'en faire un martyr.

Cette envie, douze bonshommes affolés l'ont eue.

A la place de Zola, je les remercierais.

– Gérault-Richard. « Zola condamné », *La Petite République*, 25 février 1898.

En prison Zola ! En prison pour la plus grande joie de ceux qui se disent républicains, blasphèment la liberté et se déshonorent jusqu'à jouer le rôle infâme de délateurs. Sans doute, ils iront monter la garde à la porte de la cellule de Zola, pour qu'il ne s'échappe pas !

Et nous socialistes, que les victimes de l'oppression quelles qu'elles soient trouveront toujours contre leurs juges civils ou militaires, contre leurs exploiteurs, contre leurs bourreaux, contre les prisons et les bagnes, contre les iniquités et les misères, contre le mensonge et la folie de répression, nous saluons Zola prisonnier.

– **Lucien Victor-Meunier. « Vive la République ! »**, *Le Rappel*, **25 février 1898.**

A Zola condamné nous adressons, nous républicains, nous patriotes, l'hommage respectueux de notre admiration et de notre reconnaissance.

Nous avons combattu avec lui, autour de lui ; la condamnation qui l'atteint, nous frappe autant que lui ; nous revendiquons comme un honneur, comme une gloire, solidarité entière avec lui.

Du verdict rendu par les jurés, nous sommes profondément attristés, mais point surpris. Il eût fallu à ces jurés vraiment un courage surhumain pour, malgré toutes les manœuvres, malgré toutes les menaces, rester libres. (...)

C'est le boulangisme qui recommence. Soit. Nous l'avons vaincu il y a dix ans ; ne sommes-nous pas de taille à le vaincre encore ?

Ces officiers, envahissant l'enceinte même de la Loi, audacieux, l'insulte à la bouche, froissant d'un poing impatient la poignée de leur sabre, dictant ses arrêts à la justice, labourant à coups d'éperons le Code, c'est le coup d'État qui se prépare, c'est la dictature militaire qui s'apprête. Nous connaissons cela. (...)

Mais qu'ils le sachent : il leur faudra nous bâillonner pour nous réduire au silence (...).

C'est la France que nous défendons contre eux ; la France que les 18 Brumaire conduisent à Waterloo, et que les 2 Décembre traînent à Sedan.

Nous ferons notre devoir ; et nous sommes tranquilles. Aux outrages, aux menaces nous opposons un front calme. « La vérité est en marche, rien ne l'arrêtera. » Au bout de nos efforts, de notre labeur, est la victoire. Tôt ou tard, du fond des ténèbres amoncelées, surgira la lumière, éclatante, triomphante.

– **Jean Ajalbert. « Ça commence ! »**, *Les Droits de l'Homme*, **28 février 1898**[30].

Zola n'est pas seul.

Qu'on raille les intellectuels, il les a avec lui.

Il a avec lui les hommes de pensée contre les hommes de pouvoir.

Tous les regards qui ne sont pas déviés par les bas intérêts de la politique et du fanatisme militaire et religieux sont tournés vers l'île du Diable, vers un rocher où agonise un homme, jeté là, au mépris des lois et du droit le plus élémentaire.

---

30. Repris dans *Sous le sabre*, pp. 277-288.

– Paul Brulat. « Paris », *Les Droits de l'Homme,* **6 mars 1898**[31].

Paris, qui clôt la série des *Trois Villes,* fut terminé au commencement de septembre dernier, c'est-à-dire deux mois avant que n'éclatât l'affaire Dreyfus. Le livre n'en est pas moins une superbe et décisive réponse aux calomniateurs actuels. Il explique, il justifie la généreuse intervention de Zola. Les mobiles en sont simplement cette admirable pitié pour les vaincus, cette admirable foi en la justice et en la vérité qui frémissent dans toute l'œuvre. Ah ! que l'orgueil est loin de pareils sentiments ! Jamais Zola ne nous avait révélé à un si haut degré, que par ce livre, son ardent idéal, son âme d'apôtre révolutionnaire, évoluant toujours vers une conception plus large et plus attendrie de la vie, plus héroïque aussi. Il n'a pas songé à Voltaire ni à Calas ; il n'a pas songé à sa gloire, il a seulement obéi à sa nature, à son impulsion, à l'appel de sa conscience. Convaincu de l'innocence de Dreyfus, il ne pouvait agir autrement qu'il n'a fait. Des idées, il a passé aux actes, il n'a fait qu'appliquer sa doctrine ; il a été sublime sans le vouloir, sans le savoir, naturellement, comme on respire. Voilà ce qu'on comprend, quand on a lu ce livre.

---

31. Repris dans *Violence & raison,* pp. 79-87.

NOTICES BIOGRAPHIQUES

Maurice BARRÈS (1863-1923), écrivain et homme politique. Maître de la jeune génération littéraire, il était beaucoup attendu de lui parmi les plus jeunes dreyfusards. Après une courte hésitation, il choisit l'autre camp dont il devint une importante figure. Il contribua, en 1899, à la fondation de la Ligue de la Patrie française. Il a publié sur l'Affaire – reprise corrigée de ses articles – un volume : *Scènes et doctrines du nationalisme* (Paris, 1902).

Jean-Baptiste BILLOT (1828-1907), général, sénateur inamovible, ministre de la Guerre dans le cabinet Méline (1896-1898). Il avait déjà été ministre dans les cabinets Freycinet (1882) et Duclerc (1882-1883).

Charles LE MOUTON DE BOISDEFFRE (1839-1919), général, ancien ambassadeur en Russie, était le chef de l'état-major depuis mai 1894 et le sera jusqu'à septembre 1898 (après la découverte du faux Henry).

Edgar DEMANGE (1841-1925), avocat, défendit Dreyfus lors des deux procès de 1894 et 1899 (Rennes).

Mathieu DREYFUS (1857-1930), le « frère admirable ». Abandonnant les affaires familiales, il consacra tout son temps et sa fortune à défendre son jeune frère. Il a laissé de passionnants souvenirs : *L'Affaire telle que je l'ai vécue.*

Ferdinand FORZINETTI (1839-1909), commandant, directeur de la prison du Cherche-Midi où avait été incarcéré Dreyfus après son arrestation. Les quelques semaines partagées avec son prisonnier le convainquirent de son innocence. Il devint dès lors un de ses plus farouches défenseurs.

Anatole FRANCE (1844-1924), membre de l'Académie, écrivain qui n'est pas à présenter, s'engagea aux côtés des partisans de la révision. Il a laissé trois volumes, évocations de l'Affaire : *L'Anneau d'améthyste* (1899), *M. Bergeret à Paris* (1901) et *L'Île des Pingouins* (1908).

Arthur GONSE (1838-1917), général, sous-chef d'état-major général depuis septembre 1893 et général de division depuis juillet 1897. Soutien du faussaire Henry, il avait écarté Picquart quand ce dernier découvrit l'identité du véritable traître.

Joseph HENRY (1846-1898), lieutenant-colonel (depuis fin 1897), dirigeait le service des renseignements. Avant cela, sous les ordres de Picquart dans ce même service, il fabriqua de nombreux faux ou altéra des pièces pour qu'elles pussent s'appliquer à Dreyfus. Son plus célèbre faux, que le général de Pellieux donnera au procès Zola et le ministre Cavaignac à la tribune de la Chambre en juillet 1898, sera découvert en août 1898. Interrogé, Henry avouera, sera incarcéré et retrouvé dans sa cellule un rasoir à la main, la gorge tranchée.

Fernand LABORI (1860-1917), avocat, directeur de *La Revue du Palais* (qui deviendra *La Grande Revue*), sera l'avocat de Zola à son procès. Il avait, le mois précédent, représenté l'épouse d'Alfred Dreyfus au procès Esterhazy. Il sera encore aux côtés de Demange à Rennes. Après le procès de Rennes et la grâce du capitaine, Labori, dreyfusiste intransigeant, se brouillera avec son ancien client et bon nombre de ses partisans.

Bernard LAZARE (1865-1903), littérateur et publiciste. Proche du mouvement anarchiste, auteur de nombreux textes contre l'antisémi-tisme, il fut le premier défenseur de Dreyfus pour lequel il publia trois brochures : *Une erreur judiciaire. La Vérité sur l'affaire Dreyfus* (Bruxelles, veuve Monnom, 1896 puis, augmenté, Stock, 1896) ; *Une erreur judiciaire. L'Affaire Dreyfus* (Paris, Stock, 1897) ; *Comment on condamne un innocent* (Paris, Stock, 1898). Il quittera rapidement le devant de la scène pour ne plus agir que très discrètement et se consa-crera à ce moment à la défense de tous les opprimés et plus particu-lièrement à celle des juifs. Sioniste en marge de Theodor Herzl, il prônera le nationalisme juif auquel il consacrera ses derniers écrits.

Louis LEBLOIS (1854-1928), avocat, ami intime du lieutenant-colonel Picquart qui très rapidement lui confiera sa découverte de l'identité du véritable traître. C'est lui qui informera Scheurer-Kestner. Il a laissé un très utile volume sur l'Affaire : *L'Affaire Dreyfus. L'Iniquité. La Répa-ration* (Paris, Quillet, 1929).

Jules MÉLINE (1838-1925), député des Vosges, ministre de l'Agricul-ture dans le cabinet Ferry (1883-1885), était président du Conseil depuis avril 1895 et le sera jusqu'à juin 1898.

Auguste MERCIER (1833-1921), général, plusieurs fois ministre de la Guerre (cabinet Casimir-Perier, 1893-1894 et cabinets Dupuy, 1894 et 1894-1895). Très contesté depuis longtemps, il avait fait de l'Affaire naissante une affaire personnelle et, avant le jugement, avait pesé de tout son poids pour infléchir le verdict du conseil de guerre chargé de juger Dreyfus. En 1900, avec le soutien des nationalistes dont il devint le héros pour son acharnement contre Dreyfus, il sera élu sénateur de Loire-Inférieure.

Armand MERCIER DU PATY DE CLAM (1853-1916), commandant puis lieutenant-colonel, du 3e bureau de l'état-major, avait été le principal accusateur de Dreyfus en 1894. Chargé de l'enquête, c'est à lui qu'on doit l'idée de la dictée et du harcèlement de son prisonnier pendant son incarcération. Jusqu'au bout, il demeurera un antidreyfusard for-cené.

Gabriel MONOD (1844-1912), professeur à l'École normale et à l'École des hautes études, membre de l'Institut et fondateur de la *Revue historique*. Il fut un des fondateurs de la Ligue des droits de l'homme et un des premiers intellectuels à déclarer publiquement sa conviction de l'innocence de Dreyfus (« Au jour le jour », *Le Temps*, 6 novembre 1897). Il publiera, en 1899, sous le pseudonyme de Pierre Molé, un *Exposé impartial de l'affaire Dreyfus*.

George-Gabriel DE PELLIEUX (1842-1900), général, commandant de la place de Paris, avait été, fin 1897, chargé de l'instruction du procès Esterhazy. Il fut l'auteur, au procès Zola, d'une mémorable gaffe, citant le faux Henry pour se sortir d'une passe difficile (*cf.* p. 94). Après l'affaire Henry, il décida de démissionner, revint finalement sur sa décision et prit en charge le commandement de la 44ᵉ brigade d'infanterie de Quimper.

Georges PICQUART (1854-1914), lieutenant-colonel, avait succédé à Sandherr, en juillet 1895, à la tête du service des renseignements. Ayant découvert la culpabilité d'Esterhazy, il informa ses chefs qui ne l'écoutèrent guère et l'écartèrent bientôt. Arrêté le 13 janvier 1898, mis en réforme, il fut incarcéré de juillet 1898 à juin 1899. Réintégré dans l'armée le 13 juillet 1906, promu général de brigade puis quelques mois plus tard général de division, il devint ministre de la Guerre dans le cabinet Clemenceau (25 octobre 1906-20 juillet 1909).

Pierre QUILLARD (1864-1912), poète, traducteur de textes antiques, collabora à l'essentiel des petites revues symbolistes. Proche du mouvement anarchiste, ami intime de Bernard Lazare, il participa aux réunions et aux journaux organisés par les anarchistes dreyfusards. Il combattit aussi pour les Arméniens massacrés, les Finlandais, les juifs de Roumanie, etc. Il a publié *Le Monument Henry* (1899), listes des souscriptions publiées par *La Libre Parole*.

Arthur RANC (1831-1906), ancien opposant à l'Empire et compagnon de Gambetta qui l'avait nommé directeur de la Sûreté générale, était sénateur de la Seine et publiciste (*Paris*, *Le Matin*, *Le Radical*, *L'Aurore*, dont il deviendra rédacteur en chef en 1905, *La Dépêche*, etc.). Ardent dreyfusard dès 1897, il avait, en 1894, fermement protesté contre le huis clos dans *Paris*.

Alexandre-Alfred RAVARY, commandant, rapporteur auprès du premier conseil de guerre, avait été chargé de l'instruction du procès Esterhazy qu'il conclut par un non-lieu.

Joseph REINACH (1856-1921), homme politique et publiciste, ancien compagnon de Gambetta et directeur de *La République française*, il fut un des premiers dreyfusards. Il publia un grand nombre de volumes consacrés à l'Affaire et sa première et monumentale *Histoire*, en sept volumes, qui demeure la référence indispensable.

Jean SANDHERR (1846-1897), colonel, avait dirigé le service de renseignements de 1891 à 1895. Dans l'Affaire, son antisémitisme eut une grande part dans son aveuglement.

Félix SAUSSIER (1828-1905), général, gouverneur militaire de Paris de 1884 à 1898, date à laquelle il devint membre du conseil supérieur de la guerre.

Auguste SCHEURER-KESTNER (1833-1899), chimiste et industriel, député protestataire d'Alsace puis de la Seine, sénateur inamovible et vice-président du Sénat. Intrigué depuis quelque temps par l'Affaire, doutant de la culpabilité du capitaine, il fut convaincu à la suite d'un dîner, le 13 juillet, où Louis Leblois lui avait fait part de la découverte du véritable traître par son ami Picquart. Tenu par la promesse faite à Leblois de ne pas prononcer le nom de Picquart pour ne pas lui porter préjudice, il commença à laisser courir le bruit de sa conviction et, entre le 24 octobre et le 5 novembre, rendit visite, pour les entretenir de sa découverte et les engager à agir, au président de la République, Félix Faure, au ministre de la Guerre, le général Jean-Baptiste Billot, au président du Conseil, Jules Méline, et au ministre de la Justice Darlan. Aucun ne l'écouta malgré quelques promesses, comme celles faites par Billot, vieil ami de Scheurer, qui lui promit une enquête qu'il ne fit jamais. Le 7 décembre, au Sénat, il fit part d'une conviction contre laquelle votèrent ses collègues (*cf.* p. 50) qui, le mois suivant, rejetèrent le renouvellement de son mandat de vice-président. Il se tint alors en retrait et, très malade depuis quelques années, il mourut le jour de la grâce d'Alfred Dreyfus. Il a laissé des souvenirs publiés récemment sous le titre de *Mémoires d'un sénateur dreyfusard.*

Ludovic TRARIEUX (1840-1904), homme politique (sénateur et ancien ministre). Un des premiers partisans de la révision, il fut un des fondateurs et le premier président de la Ligue des droits de l'homme.

Charles-Ferdinand WALSIN ESTERHAZY (1847-1923), commandant, était l'auteur véritable du bordereau. Protégé par l'état-major, il sera acquitté et se réfugiera à Londres après la mort d'Henry. On peut lire, à son sujet, le livre de Marcel Thomas : *Esterhazy ou l'envers de l'affaire Dreyfus* (Paris, Vernal/Philippe Lebaud, 1989).

L'AURORE, journal républicain socialiste fondé en 1897 par Ernest Vaughan. Georges Clemenceau, Lucien Descaves, Philippe Dubois, Urbain Gohier, Léopold Lacour, Bernard Lazare, Camille Mauclair, Léon Parsons, Zola y collaboraient. Par la suite, l'essentiel des dreyfusards y publieront.

L'AUTORITÉ, journal conservateur (« Pour Dieu, pour la France ! ») fondé en 1886 par Paul de Cassagnac. Antirépublicain, clérical et militariste, boulangiste, *L'Autorité* eut pendant l'Affaire une nette ligne antidreyfusarde mais qu'un grand souci de la justice distinguait nettement de ses confrères conservateurs. S'il s'en prit au fantasmatique syndicat, attaqua violemment Scheurer et Zola, satisfit à l'antisémitisme, il fit part de ses doutes sur la culpabilité de Dreyfus, protesta contre les huis clos et, s'insurgeant contre la pièce illégalement transmise lors du premier procès, fut favorable à la révision.

LA CROIX, journal catholique fondé en 1880 par la Maison de la Bonne Presse. Œuvre de la congrégation des assomptionnistes, elle publiait à travers la France un nombre considérable d'éditions qui en fit, par son importance et son nombreux lectorat, une des plus importantes entreprises de presse. Antidreyfusarde, antisémite, elle mena une campagne active contre la révision.

LE XIXᵉ SIÈCLE, journal républicain fondé en 1871 par Gustave Chadeuil et dirigé par Edmond About. Repris par Portalis en 1886, il sombra après le départ de son directeur, en 1894, mis en cause dans un scandale et condamné. Il fut alors couplé au *Rappel*.

LES DROITS DE L'HOMME, journal républicain (« Ordre et progrès par la révolution française »), fondé au début de l'année 1898 par Henri Deloncle. Y collaboraient, à l'époque de « J'accuse » : Jean Ajalbert, Paul Alexis, Pierre Bertrand, Henri Dagan, Hector Depasse, Paul Desachy, Paul Brulat, Mécislas Golberg (?), Marcel Huart, Léopold Lacour, Georges Lecomte, Le Pic, Léon Parsons, etc. Il sera rejoint, au cours de l'Affaire, par de nombreux autres dreyfusards. Son tirage dépassera largement celui de *L'Aurore*.

L'ÉCHO DE PARIS, journal républicain fondé en 1884 par Valentin Simond. De grands noms de la littérature y collaboraient (ou y avaient collaboré) : Maurice Barrès, Henry Bauer, Tristan Bernard, George Bonnamour, Paul Bourget, Alfred Capus, Henry Fouquier, Anatole France, Bernard Lazare, Jules Lemaitre, Edmond Lepelletier, Jean Lorrain, Paul Margueritte, Catulle Mendès, Henri de Régnier, Francisque Sarcey, Aurélien Scholl, Séverine, Armand Silvestre, Laurent Tailhade, Fernand Vandérem, Willy, etc. Il deviendra, au cours de l'Affaire, un des principaux journaux antidreyfusards.

L'ÉCLAIR, journal fondé en mars 1888 par Dechêneau, était dirigé depuis 1897 par Guillaume Sabatier. Emmanuel Arène, Émile Bergerat, Jean de Bonnefon, Alphonse Humbert, Eugène Ledrain, Alexandre Millerand, Georges Montorgueil, Camille Pelletan, Georges Thiébaud y collaborèrent. Il fut, malgré l'absolue indépendance proclamée par son sous-titre, violemment antidreyfusard. Si quelques partisans de la révision y avaient collaboré et en partirent (Séverine, Jean Ajalbert), quelques grandes plumes antisémites et antidreyfusardes viendront par la suite se joindre à la rédaction : Ernest Judet, Jules Quesnay de Beaurepaire, Louis Dausset, Louis Cuignet, etc. Dans son numéro du 15 septembre 1896, *L'Éclair*, informé par l'état-major (du Paty, sans doute), avait publié un article qui pour la première fois révélait qu'une pièce secrète avait été transmise en toute illégalité lors du procès de 1894.

L'ÉVÉNEMENT, fondé en 1872 par Auguste Drumont et Edmond Magnier. Il était alors dirigé par A. Frœmer. Paul Brulat, Henry Céard, Paul Dollfuss, Émile Goudeau, Clovis Hugues, Charles Morice, Edmond Sée, Saint-Georges de Bouhélier, Aurélien Scholl, Georges Vanor y collaboraient. Brulat et Bouhélier, dreyfusards, le quitteront au début de 1898 pour fonder l'éphémère *La Lumière*.

LE FIGARO, fondé en 1854, était dirigé par Périvier et de Rodays. Y collaboraient : Arsène Alexandre, Alfred Bruneau, Alfred Capus, Jules Cornély, Léon Daudet, Gaston Deschamps, Henry Fouquier, Jules Huret, Lemaitre, Hugues Le Roux, Georges Thiébaud, etc.

LA FRONDE, journal dirigé, administré, composé par des femmes, fondé en décembre 1897 par Marguerite Durand. Dreyfusard, Bradamante, Mme Catulle Mendès, Judith Cladel, Maria Martin, Marie Maugeret, Georges de Peyreburne, Maria Pognon, Séverine, Marcelle Tinayre, etc., y collaboraient.

LE GAULOIS, journal conservateur monarchiste fondé en 1868 par Edmond Tarbé des Sablons et Henri de Pène. Propriété d'Arthur Meyer depuis 1879 – il en prit réellement la direction éditoriale en 1882 –, il devint un journal mondain auquel collaboraient en 1897 : Paul Bourget, Ernest Daudet, Émile Faguet, Gustave Geffroy, Abel Hermant, René Maizeroy, Robert Mitchell, Édouard Rod, Rosny, Georges Thiébaud, etc.

LA GAZETTE DE FRANCE, journal royaliste, fondé en 1631 par Théophraste Renaudot. Il était dirigé par Gustave Janicot et y collaboraient : Charles Maurras, Edmond Biré, H. de Curzon, Charles Dupuy, Jean Lacoste, etc.

GIL BLAS, fondé en 1879 par Auguste Drumont. Ce journal, auquel collaboraient Maupassant et Mendès, connut un franc succès dû à sa grivoiserie. Racheté par Fernand Xau qui l'avait précédemment quitté, il ne changea pas sa ligne et se livra même, souvent, au chantage.

L'INTRANSIGEANT, fondé en 1880 par Henri Rochefort, était un journal qui visait un lectorat populaire. Boulangiste, nationaliste, il devint, avec l'Affaire, antidreyfusard et nettement antisémite. Il mena une ardente campagne, souvent à partir des informations qui lui étaient transmises par l'entourage du général de Boisdeffre.

LE JOUR, journal républicain démocrate progressiste fondé en 1890. Il était alors dirigé par André Vervoort, beau-frère de Rochefort. Y collaboraient : Edmond Deschaumes, H. Galli, Léon Mazet.

LE JOURNAL, feuille littéraire fondée en 1892 par Fernand Xau. Sa rédaction réunissait – l'article y était payé très cher – la plupart des grands noms du moment : Paul Adam, Alphonse Allais, Georges Auriol, Maurice Barrès, Henry Bauër, Émile Bergerat, Tristan Bernard, Jules Claretie, François Coppée, Léon Daudet, Maurice Donnay, Georges d'Esparbès, Franc-Nohain, Gustave Geffroy, Ernest La Jeunesse, Henri Lavedan, Maurice Leblanc, Camille Lemonnier, Hugues Le Roux, Jean Lorrain, Pierre Loti, René Maizeroy, Catulle Mendès, Octave Mirbeau, Raoul Ponchon, Marcel Prévost, Jules Renard, Jean Richepin, Georges Rodenbach, Séverine, Armand Silvestre, André Theuriet, Georges Thiébaud, etc.

LA LANTERNE, journal républicain socialiste fondé en 1877 par Eugène Mayer et auquel, alors, avait collaboré Zola. Dirigé en 1896 par Aristide Briand, puis en 1897 par Alexandre Millerand, il eut pour collaborateurs : Maurice Allard, Jean Jaurès, Camille Pelletan, Gustave Rouanet, etc.

LA LIBERTÉ, journal républicain constitutionnel fondé en 1866. Un temps dirigé par Émile de Girardin, puis par Isaac Pereire, il le fut, en 1898, par Jules Frank. Léo Claretie, Robert de Flers, Paul Ginisty, Georges Izambard, Jean Rameau, Henri Oriol, Pierre Valdagne, etc., y collaboraient.

LA LIBRE PAROLE, dont le sous-titre était « La France aux Français », journal antisémite fondé en 1892 par Édouard Drumont, l'auteur de *La France juive*. Y collaboraient : André du Quesnay de Boisandré, François Bournand, Jean Drault, Gallus, Gyp, Gaston Méry, Adrien Papillaud, Raphaël Viau, commandant Z, etc. C'est à *La Libre Parole*, qui en 1892 avait mené campagne contre la présence de juifs dans l'armée, que fut adressée la nouvelle de l'arrestation de Dreyfus et c'est elle, la première, qui publia l'information, sous forme de question demandant s'il était vrai « que, récemment, une arrestation fort importante a été opérée par ordre de l'autorité militaire ».

LA LUMIÈRE, journal qui parut du 7 février au 2 mars 1898. Dreyfusard, et créé dans cette optique, il sera rédigé par Paul Brulat, Félix Gaborit, Marcel Huart, Saint-Georges de Bouhélier, etc.

LE MATIN, fondé au début de l'année 1884 par Sam Chamberlain, avait été repris en octobre 1884 par Alfred Edwards. Organisé sur le modèle américain, il connut un vif succès que lui donnait son indéniable originalité. Racheté en 1894 par Henry Poidatz, il fut alors dirigé par Maurice Bunau-Varilla. En 1897, le rédacteur en chef en était Harduin. Francisque Sarcey, Arthur Ranc, Jules Cornély, Henri des Houx, Emmanuel Arène, Georges Thiébaud, etc., y collaboraient alors. C'est *Le Matin* qui, le 10 novembre 1896, publia le fac-similé du bordereau.

LE NATIONAL, journal républicain progressiste fondé en 1830 par Eugène Paul-Émile. Henry Céard, Adrien Duvand, Jean-Louis de Lanessan, Charles Raffard, etc., y collaboraient.

LA PATRIE, journal du groupe Soubeyran fondé en 1842, longtemps impérialiste, avait été racheté en 1892 par le propriétaire du Printemps, Jaluzot. Dirigé, depuis 1895, par Émile Massard, son rédacteur en chef était Lucien Millevoye qui lui imprima une orientation nettement nationaliste. Il devint un des moniteurs de l'antidreyfusisme.

LE PETIT JOURNAL, quotidien à un sou fondé en 1863 par Hippolyte Marinoni. Il était dirigé en fait par son rédacteur en chef Ernest Judet. Il publiait un supplément illustré qui rencontra un vif succès. Il réservera, en mai 1898, une mauvaise surprise à Zola en publiant quelques ignobles lignes sur son père (*cf.* Alain Pagès, *Émile Zola, un intellectuel dans l'affaire Dreyfus*, pp. 227 *sqq.*).

LA PETITE RÉPUBLIQUE, journal socialiste sous l'impulsion d'Henri Turot qui avait racheté *La Petite République française*. Dirigé par Alexandre Millerand, il fut confié à Gérault-Richard quand, en 1897, le Parti ouvrier français de Guesde en prit le contrôle. Paul Brousse, Jules Guesde, Jean Jaurès, Alexandre Millerand, Camille Pelletan, Gustave Rouanet, Camille de Sainte-Croix, Édouard Vaillant, René Viviani, etc., y collaborèrent.

LE PEUPLE FRANÇAIS, « organe de l'Union nationale », journal de la démocratie chrétienne, fut fondé en 1892 par l'abbé Garnier, ancien de *La Croix*. Y collaboraient : Jean Alquier, Louis Cadot, Léon Cros, Robert Guiscard, D. Kimon, abbé Ract, etc.

LA PRESSE, journal fondé en 1832 par Émile de Girardin. Ayant cessé de paraître en 1885, *La Presse* fut relancée en 1888 par quelques partisans du général Boulanger. Rachetée depuis 1891, elle était dirigée par Émile Massard. Sous l'impulsion de son rédacteur en chef, Léon Bailby, elle devint nationaliste.

LE RADICAL, journal républicain radical-socialiste fondé en 1881 (il y avait eu un précédent *Radical* de 1871 à 1872) par Victor Simond et Henry Maret. Y collaboraient : Sigismond Lacroix, Jean-Louis de Lanessan, Jules Lermina, Arthur Ranc, Maxime Vuillaume, Xanrof, etc.

LE RAPPEL, journal républicain radical fondé en 1869 par Auguste Vacquerie. A partir de 1895, après la mort de Vacquerie, il fut dirigé par Pierre Lefèvre et fut couplé au *XIXᵉ Siècle*. Ses principaux collaborateurs étaient : Ernest Blum, Paul Desachy, Henry Fouquier, Paul Ginisty, Jean-Louis de Lanessan, Édouard Lockroy, Louis Marsolleau, Francisque Sarcey, Lucien Victor-Meunier, etc.

LA RÉPUBLIQUE FRANÇAISE, journal fondé en 1871 par Gambetta. Scheurer-Kestner en avait présidé le conseil d'administration à partir de 1876 et avait été le directeur politique de 1879 à 1886, date à laquelle Joseph Reinach en prit la direction. Il était, depuis 1893, dirigé par Jules Méline, président du Conseil à l'époque de « J'accuse ».

LE SIÈCLE, journal républicain fondé en 1836, était dirigé depuis 1892 par Yves Guyot. Dreyfusard, Raoul Allier, Victor Basch, Émile Duclaux, Arthur Giry, Jean Psichari, Joseph Reinach, etc., y collaborèrent. Il deviendra la publication officieuse de la Ligue des droits de l'homme.

LE SOIR, fondé en 1867 par le banquier Merton et racheté en 1873 par le groupe Soubeyran (*La Patrie*, *Paris-Journal*), passa par la suite entre de nombreuses mains. Il était dirigé depuis 1895 par Edmond Blanc. Son rédacteur en chef en était Gaston Pollonnais qui deviendra un antidreyfusard acharné.

LE TEMPS, journal fondé en 1861 par N. Nefftzer. Dirigé par Adrien Hébrard, il était le quotidien de référence. Plutôt dreyfusard, il gardera souvent une attitude réservée dictée par sa légendaire objectivité.

L'UNIVERS, journal constitutionnel fondé en 1833. Dirigé par Eugène Veuillot. Y collaboraient : Léon Danet, Eugène Tavernier, Gabriel de Triors, François Veuillot, Pierre Veuillot, etc.

BIBLIOGRAPHIE SÉLECTIVE

AJALBERT, Jean. *Sous le sabre*. Paris, éditions de la Revue Blanche, 1898.

BIRNBAUM, Pierre (sous la direction de). *La France de l'Affaire Dreyfus*. Paris, Gallimard, Bibliothèque des histoires, 1994.

BIRNBAUM, Pierre. *L'Affaire Dreyfus, la République en péril*. Paris, Gallimard, « Découvertes », 1994.

BREDIN, Jean-Denis. *L'Affaire*. Paris, Julliard, 1983.

BRULAT, Paul. *Violence & raison*. Paris, P.-V. Stock, 1898.

BRULAT, Paul. *Lumières et grandes ombres*. Paris, Bernard Grasset, 1930.

CAHM, Éric. *L'Affaire Dreyfus. Histoire, politique et société*. Paris, Le Livre de Poche, 1994.

DREYFUS, Alfred. *Carnets 1899-1907*. Paris, Calmann-Lévy, 1998. Édition établie par Philippe Oriol. Préface de Jean-Denis Bredin.

DREYFUS, Mathieu. *L'Affaire telle que je l'ai vécue*. Paris, Grasset, 1978.

DROUIN, Michel (sous la direction de). *L'Affaire Dreyfus de A à Z*. Paris, Flammarion, 1994.

DUCLERT, Vincent. *L'Affaire Dreyfus*. Paris, La Découverte, 1994.

JEAN-BERNARD. *Le Procès de Rennes, 1899. Impression d'un spectateur*. Paris, Lemerre, 1900.

LAZARE, Bernard. *Une erreur judiciaire. L'Affaire Dreyfus*. Paris, P.-V. Stock, 1897 (réédition aux éditions Allia, 1993).

LAZARE, Bernard. *Comment on condamne un innocent*. Paris, P.-V. Stock, 1898.

MIRBEAU, Octave. *L'Affaire Dreyfus*. Paris, Librairie Séguier, 1991. Édition établie par Jean-François Nivet et Pierre Michel.

PAGÈS, Alain. *Émile Zola, un intellectuel dans l'affaire Dreyfus*. Paris, Librairie Séguier, 1991.

PAGÈS, Alain. *Le 13 janvier 1898. Une journée révolutionnaire*. Paris, Perrin, 1898.

Le Procès Zola. Paris, Éditions de « L'Aurore », 1898.

SCHEURER-KESTNER, Auguste. *Mémoires d'un sénateur dreyfusard*. Strasbourg, Bueb & Reumaux, 1988. Édition établie par André Roumieux.

THOMAS, Marcel. *L'Affaire sans Dreyfus*. Paris, Fayard, 1961.

ZOLA, Émile. *La Vérité en marche*. Paris, Bibliothèque-Charpentier, 1901.

ZOLA, Émile. *Vérité*. Paris, Livre de Poche, Classique, 1995.

ZOLA, Émile. *Correspondance* IX. *1897-1899*. Montréal/Paris, Les Presses de l'Université de Montréal/Éditions du C.N.R.S., 1993.

ZOLA, Émile. *L'Affaire Dreyfus. Lettres et entretiens inédits*. Paris, C.N.R.S. éditions, 1994.

CHRONOLOGIE SOMMAIRE DE L'AFFAIRE DREYFUS

1894 Fin septembre   Arrivée du bordereau au ministère de la Guerre.

15 octobre   Arrestation de Dreyfus.

29 octobre   Entrefilet dans *La Libre Parole* demandant la confirmation de la récente arrestation d'un traître.

19-22 décembre   Procès du capitaine Dreyfus. Condamnation à la déportation perpétuelle et à la dégradation.

1895 5 janvier   Dégradation de Dreyfus.

21 février   Le Dr Gibert, lors d'un entretien avec le président de la République, Félix Faure, apprend qu'une pièce a été soumise aux juges, à l'insu de Dreyfus et de son défenseur.

Dreyfus est embarqué pour les îles du Salut.

Fin février   Rencontre de Mathieu Dreyfus et de Bernard Lazare.

13 avril   Dreyfus arrive à l'île du Diable.

1er juillet   Picquart est nommé à la tête du service des renseignements.

1896 Mars   Arrivée du « petit bleu », lettre de l'attaché militaire allemand, Schwartzkoppen, à Esterhazy.

1er septembre   Fin de l'enquête personnelle de Picquart. Il est convaincu de la culpabilité d'Esterhazy.

2 septembre   Le *South Wales Argus* annonce l'évasion de Dreyfus. La nouvelle se répand.

5-10 septembre   Correspondance entre Picquart et Gonse au sujet de la découverte du véritable traître.

	14 septembre	*L'Éclair*, daté du 15, révèle qu'une pièce secrète a été soumise aux juges de 1894.
	15 septembre	Entrevue de Picquart avec Gonse.
	Fin octobre	Publication à Bruxelles du premier mémoire de Lazare.
	2 novembre	Henry remet à Gonse le faux qu'il a commis.
	10 novembre	Publication par *Le Matin* du fac-similé du bordereau.
	16 novembre	Picquart est écarté. Il est envoyé en mission dans l'Est.
1897	6 janvier	Picquart est envoyé en Tunisie.
	Fin juin	Picquart révèle à Leblois sa découverte.
	13 juillet	Leblois s'entretient avec Scheurer-Kestner de la découverte faite par Picquart.
	19 octobre	Parution de *L'Aurore*.
	24 octobre-5 novembre	Scheurer entretient le général Billot, Félix Faure, le président du Conseil Méline, le ministre Darlan de sa conviction.
	Début novembre	Mathieu apprend l'identité du véritable traître.
	15 novembre	Dénonciation, par Mathieu, d'Esterhazy
	17 novembre	Début de l'enquête du général de Pellieux.
	25 novembre	Premier article d'Émile Zola.
	28 novembre	Publication par *Le Figaro* de la « lettre du uhlan ».
	4 décembre	Malgré le « refus d'informer » sur lequel avait conclu de Pellieux, le général Saussier signe l'ordre d'informer contre Esterhazy. L'enquête est confiée au commandant Ravary.
		A la Chambre, Méline, président du Conseil, déclare qu'il n'y a pas d'affaire Dreyfus
	7 décembre	Interpellation de Scheurer au Sénat.
	18 décembre	*Le Figaro* abandonne sa campagne en faveur de la révision.
	31 décembre	Ravary conclut au non-lieu.
1898	2 janvier	Saussier ordonne l'ordre de mise en jugement d'Esterhazy.
	10-11 janvier	Procès et acquittement d'Esterhazy.

13 janvier	Zola publie « J'accuse !... ». Arrestation de Picquart. Scheurer n'est pas réélu à la vice-présidence du Sénat.
14 janvier	Commencement de la publication des listes de protestations (le « manifeste des intellectuels »).
17 janvier	Une centaine d'allemanistes et d'anarchistes, favorables à la révision, s'opposent fermement aux antisémites lors d'une réunion publique.
18 janvier	Plainte contre Zola et le gérant de *L'Aurore*.
Fin janvier	Sanglantes émeutes antisémites en Algérie.
7-23 février	Procès Zola. Condamnation au maximum de l'écrivain et du gérant de *L'Aurore*. Lors de l'audience du 17 février, le général de Pellieux révèle le faux Henry, que, le lendemain, Gonse et Boisdeffre viennent confirmer.
20 février	Réunion chez Ludovic Trarieux au cours de laquelle il est décidé de fonder une Ligue pour la Défense des droits de l'homme et du citoyen.
26 février	Mise en réforme de Picquart.
2 avril	La Cour de cassation casse l'arrêt rendu contre Zola et Perrenx.
8 avril	Plainte est déposée contre Zola par le conseil de guerre qui a acquitté Esterhazy.
12 mai	Picquart se pourvoit contre le décret de réforme qui l'a frappé.
23 mai	Procès Zola à Versailles. Les conclusions d'incompétence prises par la défense étant rejetées, le procès est remis.
4 juin	Première assemblée générale de la Ligue des droits de l'homme.
7 juillet	Cavaignac à la Chambre donne lecture du faux Henry. L'affichage de son discours est voté à une écrasante majorité.
18 juillet	Procès Zola. Nouvelle condamnation. Zola partira pour l'Angleterre.
10 août	Jaurès commence la publication des *Preuves* dans *La Petite République*.

	13 août	Découverte du faux Henry par le capitaine Cuignet.
	30 août	Henry avoue le faux.
	31 août	Mise en réforme d'Esterhazy. Suicide d'Henry.
	3 septembre	Démission du ministre de la Guerre Cavaignac. Demande de révision de Lucie Dreyfus.
	22 septembre	Picquart est écroué.
	27 septembre	La Cour de cassation est saisie de l'affaire Dreyfus.
	29 octobre	La demande de révision est déclarée recevable.
	31 décembre	Fondation de la ligue de la Patrie française.
1899	10 février et 1er mars	Vote par l'Assemblée et par le Sénat de la loi de dessaisissement.
	3 juin	Arrêt de révision. Dreyfus est renvoyé pour être jugé devant le conseil de guerre de Rennes. Esterhazy, face à un journaliste du *Matin*, reconnaît qu'il est l'auteur du bordereau.
	9 juin	Mise en liberté de Picquart.
	30 juin	Retour de Dreyfus en France.
	11 août-9 septembre	Procès de Rennes. Dreyfus est condamné à dix ans de détention avec les circonstances atténuantes. Il se pourvoit en révision. Le 14, Labori avait été victime d'un attentat.
	19 septembre	Grâce de Dreyfus. Mort de Scheurer-Kestner.
1900	27 décembre	Loi d'amnistie.
1902	29 septembre	Mort de Zola.
1903	6-7 avril	Intervention de Jaurès à la Chambre. Le ministre de la Guerre André annonce une enquête.
	25 décembre	Après l'enquête d'André et du commandant Targe, la Cour de cassation est saisie de l'affaire Dreyfus.
1904	5 mars	La demande de révision est déclarée recevable.
	5 mars-19 novembre	Enquête de la Cour de cassation.
1906	15 juin-12 juillet	Débats de la Cour de cassation. Dreyfus est réhabilité.

	13 juillet	Dreyfus est nommé commandant. Picquart est réintégré au grade de général de brigade.
	20 juillet	Dreyfus est nommé chevalier de la Légion d'honneur.
1907	5 août	Dreyfus, sur sa demande, est mis à la retraite.
1908	4 juin	Transfert des cendres de Zola au Panthéon. Un journaliste nationaliste tire sur Dreyfus et le blesse au bras.

TABLE DES MATIÈRES

EXTRAIT DU CATALOGUE LIBRIO

CLASSIQUES

Affaire Dreyfus (L')
J'accuse et autres documents - n°201

Alphonse Allais
L'affaire Blaireau - n°43
A l'œil - n°50

Honoré de Balzac
Le colonel Chabert - n°28
Melmoth réconcilié - n°168
Ferragus, chef des Dévorants - n°226

Jules Barbey d'Aurevilly
Le bonheur dans le crime - n°196

Charles Baudelaire
Les Fleurs du Mal - n°48
Le Spleen de Paris - n°179
Les paradis artificiels - n°212

Beaumarchais
Le barbier de Séville - n°139

Bernardin de Saint-Pierre
Paul et Virginie - n°65

Pedro Calderón de la Barca
La vie est un songe - n°130

Giacomo Casanova
Plaisirs de bouche - n°220

Corneille
Le Cid - n°21

Alphonse Daudet
Lettres de mon moulin - n°12
Sapho - n°86
Tartarin de Tarascon - n°164

Descartes
Le discours de la méthode - n°299
(*juillet 99*)

Charles Dickens
Un chant de Noël - n°146

Denis Diderot
Le neveu de Rameau - n°61

Fiodor Dostoïevski
L'éternel mari - n°112
Le joueur - n°155

Gustave Flaubert
Trois contes - n°45
Dictionnaire des idées reçues - n°175

Anatole France
Le livre de mon ami - n°121

Théophile Gautier
Le roman de la momie - n°81
La morte amoureuse - n°263

Genèse (La) - n°90

Goethe
Faust - n°82

Nicolas Gogol
Le journal d'un fou - n°120
La nuit de Noël - n°252

Grimm
Blanche-Neige - n°248

Victor Hugo
Le dernier jour d'un condamné - n°70

Henry James
Une vie à Londres - n°159
Le tour d'écrou - n°200

Franz Kafka
La métamorphose - n°3

Eugène Labiche
Le voyage de Monsieur Perrichon - n°270

Madame de La Fayette
La Princesse de Clèves - n°57

Jean de La Fontaine
Le lièvre et la tortue et autres fables - n°131

Alphonse de Lamartine
Graziella - n°143

Gaston Leroux
Le fauteuil hanté - n°126

Longus
Daphnis et Chloé - n°49

Pierre Louÿs
La Femme et le Pantin - n°40
Manuel de civilité - n°255
(*Pour lecteurs avertis*)

Nicolas Machiavel
Le Prince - n°163

Stéphane Mallarmé
Poésie - n°135

Guy de Maupassant
Le Horla - n°1
Boule de Suif - n°27
Une partie de campagne - n°29
La maison Tellier - n°44
Une vie - n°109
Pierre et Jean - n°151
La petite Roque - n°217
Le docteur Héraclius Gloss - n°282 (*avril 99*)

201

Achevé d'imprimer en Allemagne (Pössneck)
par GGP en octobre 2003 pour le compte de E.J.L.
84, rue de Grenelle 75007 Paris
Dépôt légal octobre 2003
1er dépôt légal dans la collection : décembre 1997

Diffusion France et étranger : Flammarion